LÔ

TONY BELLOTTO

Lô

COMPANHIA DAS LETRAS

Copyright © 2018 by Tony Bellotto

Grafia atualizada segundo o Acordo Ortográfico da Língua Portuguesa de 1990, que entrou em vigor no Brasil em 2009.

Capa
André Hellmeister

Imagem de capa
Ilustração de André Hellmeister inspirada em arte de Tancha/ ShutterStock

Preparação
Ciça Caropreso

Revisão
Marise Leal
Adriana Bairrada

Os personagens e as situações desta obra são reais apenas no universo da ficção; não se referem a pessoas e fatos concretos, e não emitem opinião sobre eles.

Dados Internacionais de Catalogação na Publicação (CIP)
(Câmara Brasileira do Livro, SP, Brasil)

Bellotto, Tony
    Lô / Tony Bellotto. São Paulo — 1ª ed: Companhia das Letras, 2018.

    ISBN 978-85-359-3140-2

    1. Ficção brasileira I. Título.
18-17223   CDD-869.3

Índice para catálogo sistemático:
1. Ficção : Literatura brasileira   869.3

Iolanda Rodrigues Biode – Bibliotecária – CRB-8/10014

[2018]
Todos os direitos desta edição reservados à
EDITORA SCHWARCZ S.A.
Rua Bandeira Paulista, 702, cj. 32
04532-002 — São Paulo — SP
Telefone: (11) 3707-3500
www.companhiadasletras.com.br
www.blogdacompanhia.com.br
facebook.com/companhiadasletras
instagram.com/companhiadasletras
twitter.com/cialetras

LÔ

JUNHO

De manhã, no colégio, José Thiago diz para Juliana: Hoje é Dia dos Namorados. Vamos sair pra jantar?

Ela explica que a mãe é um pouco intolerante com horários noturnos, mas que os dois podem comemorar à tarde, se ele topar.

Então vamos almoçar, ele diz.

Não, ela responde, vamos trepar.

José Thiago emudece, mas Ju sabe que ganhou um ponto com ele. Homens, ela tem uma teoria, ficam loucos quando a mulher toma a iniciativa, ainda mais se ela fala *trepar*.

Onde?, ele pergunta.

Na tua casa.

Juliana não está falando da boca para fora. Sabe que os pais dele são liberais, desses que deixam o filho fazer sexo em casa, e tudo o que ela deseja é mesmo só transar com o José Thiago no Dia dos Namorados. Está, como se diz, inocente. Um pouco desiludida e sexy como sempre, mas inocente. Só uma menina de quinze anos querendo transar com o namorado.

* * *

Vão até o apartamento de José Thiago, de frente para a praia do Leblon, um apartamento enorme e branco, com uma janela imensa na sala. A sensação, ela pensa, é de sobrevoar o Atlântico a bordo de uma nave espacial fantasma. Quando chegam, os pais dele não estão. Só a empregada, ou *as* empregadas, e a cachorrinha Carol, que late como se Juliana fosse a estagiária de um desses laboratórios que trucidam animais para testar xampu. Entram no quarto de José Thiago e, bem, transam. Tudo certo. É bom, claro, mas nada demais. Ju nunca achou que alguma de suas transas tenha sido algo *demais*. O que importa é que, logo que saem do quarto, no fim da tarde, ela, preocupada com o surto histérico que a mãe simulará caso não volte logo para casa, vê a silhueta de um homem.

Foi tipo uma aparição (assim definirá a visão mais tarde em seu diário).

Ele está sentado em posição de iogue numa das poltronas em forma de prancha de surfe, os pés descalços, contemplando pelo janelão o horizonte vermelho. Quando Juliana e José Thiago passam pela sala a caminho do elevador, o homem vira o rosto, em que se destacam pelinhos grisalhos e brilhantes, que parecem estar sempre há três dias da última barbeada, e, como se saísse de um transe, diz um oi blasé. E volta a olhar o crepúsculo bem no momento em que ele se desfaz no mar.

Um tesão de cortar a carne.

Ju sente na hora que é com ele que ela gostaria de ter comemorado o Dia dos Namorados. Ele, o famoso Lourenço Barclay, que todos chamam simplesmente de Lô.

No final dos anos 1970, quando morou alguns meses na Califórnia com seu avô, Lourenço Barclay leu um romance em que um escritor americano dizia: "Este livro é o presente que dou a mim mesmo pelos meus cinquenta anos. Sinto como se estivesse atravessando a cumeeira de um telhado — depois de subir um dos lados. Aos cinquenta anos, estou programado para agir de modo infantil — insultar o hino nacional, rabiscar desenhos de uma bandeira nazista, um cu e um monte de outras coisas com um pincel atômico".

Na época, Lô tinha catorze anos e não entendeu direito o que o sujeito queria dizer. Desenhar um cu parecia uma atitude mais adequada a um garoto de cinco anos, e tudo que Lô conseguiu apreender da frase foi que, aos cinquenta, você atinge uma espécie de ápice e inicia o declínio inevitável que fará, um dia, com que assuma as mesmas atitudes de uma criança.

No jantar, discutiu a questão com o avô. Ele devia ter pouco mais de sessenta, mas era um homem vigoroso, que pegava onda todos os dias, depois de pular corda, correr e se exercitar na praia.

Nos meus cinquenta anos, disse o velho naquele jantar, eu preferia comer um cu do que desenhá-lo. Prefiro até hoje, aliás. Assim era vovô Barclay, um homem prático e não muito afeito a devaneios filosóficos. Foi com ele que Lô aprendeu a meditar e a surfar.

O surfe, como se sabe, teve grande influência na vida de Lô Barclay — a meditação também, apesar de não estar tão na cara. Ele não se tornou um surfista profissional, embora nos distantes anos 1970 alimentasse o sonho de se tornar um *rider* das ondas gigantes do Havaí. Mas naquele tempo o surfe não era apenas mais um esporte como é hoje, com ídolos tão excitantes quanto coroinhas de bermuda. Assim como a ioga, a alimentação natural, o ambientalismo e a contracultura, o surfe fazia parte de uma conspiração para transformar o mundo num lugar melhor.

Lô, de seu lado, contribuiu descobrindo nas técnicas de *shaping* e fabricação de pranchas os motivos e a tecnologia para o seu design.

Se isso transformou o mundo, ele não sabe.

Com certeza conseguiu criar ambientes agradáveis e inspiradores. E poltronas, mesas, escrivaninhas e sofás originalíssimos — todos feitos de poliuretano — que lhe renderam prêmios, vida tranquila e fama considerável. Lô costuma ser bastante orgulhoso dessa reputação e se envaidece quando alguém, ao se referir a uma de suas poltronas, diz: "É uma Barclay", como se a chancela de seu nome fosse suficiente para conferir ao móvel a transcendência de uma estátua grega. Sempre que o convidam para assistir aos desfiles de Carnaval nos camarotes das cervejarias, ou quando o incluem em matérias com atores, chefs de cozinha, DJs, modelos e atletas nas revistas de celebridades, fica muito satisfeito com tudo o que, digamos assim, projetou.

Hoje, no entanto, sente-se nostálgico.

Afinal, não é sempre que se completa cinquenta anos.

E, ainda que não se sinta instigado a desenhar um cu, parece finalmente ter compreendido o que o escritor americano quis dizer com "atravessar a cumeeira de um telhado".

No final da manhã, quando chega ao ateliê, como faz todos os dias depois de ter meditado no Leblon e de ter pego onda na Barra — um *swell* de sul entrara durante a noite —, e antes que seus funcionários surjam sorridentes por trás de um bolo integral de cenoura orgânica decorado com cinquenta velas em forma de pranchas de surfe, Lô se fecha no escritório e se lembra do texto do escritor americano e da conversa que teve sobre isso com o avô. De repente o diálogo é encoberto por uma neblina. Pensa então na namoradinha do Zé Thiago, que viu de relance dias atrás, quando os dois passaram pela sala enquanto ele meditava no final da tarde.

É uma menina estranha.

Parece, de certa forma, uma assombração. Alguém com um rosto que não se consegue focalizar ou reter na memória.

A imagem fugidia da menina, etérea como a névoa que encobre a conversa com vovô Barclay há mais de três décadas, brota na sua cabeça. Deve ser uma dessas coisas estranhas que acontecem a um homem quando completa cinquenta anos.

José Thiago convida Juliana para cantar parabéns para o pai. Vai ter um bolinho lá em casa no fim da tarde, coisa rápida, só para a família, ele diz.

Ela usa de todos os artifícios aprendidos nas aulas de teatro para disfarçar o coração disparado e a respiração curta: Jura? Não sei, é uma comemoração só da família.

Então. Já estou considerando você da família, ele insiste, fazendo uma carinha charmosa, ou que ele acha charmosa, torcendo os lábios num biquinho e franzindo a testa, o que só reforça para Ju a ingenuidade de seu namorado.

Não sei...

José Thiago continua a encará-la com um olhar que ele considera irresistível.

Só uma passadinha, ela concorda por fim, posando de magnânima. Não quero me intrometer na intimidade de vocês.

Não está se intrometendo de jeito nenhum, foi a minha mãe que pediu pra te chamar.

* * *

Juliana já sabia, desde o começo, há pouco mais de um mês, que o namoro com José Thiago não teria futuro.

Nunca foi apaixonada por ele.

Mas isso não é um problema dele, já que ela nunca foi apaixonada por coisa alguma. A não ser, talvez, por um gato na infância e mais recentemente pelo *Diário de Anne Frank*, cuja leitura a deixou bastante intranquila. Ela até acha José Thiago um garoto legal, bonito, atlético, ligado na preservação do meio ambiente e nas questões geopolíticas do Oriente Médio. O problema é que, quando viu o Lô, alguma coisa dentro dela fez *tóinnnnn!*, como um raio de desenho animado atingindo-a do cérebro ao baixo-ventre. Ela sabe que ele é velho o suficiente para ser seu tio-avô, cinquenta anos, meu Deus!

Mas, é preciso dizer, ele não aparenta cinquenta anos.

E está sempre descalço, um homem verdadeiramente telúrico, uma palavra que ela aprendeu há não muito tempo e que parece fazer todo o sentido naquele contexto.

No fim da tarde, no apartamento nave espacial fantasma que sobrevoa o entardecer menstruado do Leblon em junho, logo depois que Lô apaga as cinquenta velas brancas de um bolo de cacau orgânico em forma de prancha de surfe, ou na forma de uma daquelas poltronas estranhas da sala, a mulher dele, uma coroa bonitona de longos cabelos grisalhos, o abraça, e Juliana sente uma moleza, como se fosse desmaiar. José Thiago percebe, pois pergunta: Tudo bem?

Tudo, ela diz, mas no fundo não está nada bem. E isso é porque sabe que aquele homem descalço é seu, e não daquela tiazinha sarada.

Na década de 1970, o americano Dorian Paskowitz criou o conceito da família surfista. Paskowitz, depois de desistir da carreira médica e de passar um ano em Israel perambulando por desertos após tentar sem sucesso se alistar no Exército para participar das ações armadas da Guerra de Suez, voltou aos Estados Unidos e fez do surfe sua razão de viver. Para tanto, juntou a mulher e os nove filhos — alguns provenientes de dois casamentos anteriores —, acomodou-os num motor home e passou vinte e cinco anos *on the road*, surfando pelas praias da América. Os filhos de Dorian nunca frequentaram a escola e eram submetidos a um rigoroso programa de saúde criado pelo pai, que incluía exercícios físicos, dieta naturalista, conceitos filosóficos de positividade e harmonia com a natureza e, principalmente, muito surfe. Num documentário recente sobre a saga dos Paskowitz, um de seus filhos declara: "Pais normais dizem para os filhos irem à escola e evitarem entrar no mar cheio de tubarões, pois o mar cheio de tubarões é perigoso. Meus pais diziam para os filhos entrarem no mar cheio de tubarões e evitarem ir à escola, pois a escola é perigosa".

* * *

Para o avô de Lô, o estilo de vida de Dorian Paskowitz foi como um chamado. Nos anos 1970, o patriarca dos Barclay, já viúvo, abandonou o apartamento em São Conrado e, aproveitando-se da aparentemente inesgotável fortuna familiar, mudou-se para um bangalô na praia de Santa Bárbara, na Califórnia. Como ninguém na família se animou a segui-lo em sua peregrinação mística pelo surfe — muitos dos filhos achavam que o velho estava pirando, mesmo levando em conta seu histórico de playboy praiano adepto do *dolce far niente* carioca —, Lô foi o único descendente a partilhar com o avô — nos meses de férias apenas — a experiência da Família Surfista Barclay, que cabia inteira, um avô e um neto, na velha Kombi verde e amarela que se arrastava roncando pelas margens do Pacífico.

A passagem pela Califórnia foi fundamental na formação do futuro designer, pois no surfe Lô descobriu a força motora de seu instinto criativo. É claro que a experiência de vovô Barclay jamais se compararia à de Dorian Paskowitz, mas avô e neto passaram algumas semanas divertidas viajando pela costa oeste americana, pegando onda, dormindo em *surf camps*, vivenciando um momento único em que o mundo parecia repleto de magia.

Não que Lô não acredite mais que o mundo ainda contenha alguma magia.

Não.

Isso poria em xeque os hábitos de um homem que medita duas vezes por dia, acende incensos para trabalhar, sussurra mantras tranquilizadores quando fica estressado, procura respirar pelo nariz como preconiza a ioga, pratica exercícios, evita carne, glúten, fritura e produtos industrializados, e é filiado ativo do

Greenpeace. Um homem que se envaidece ao mirar a própria imagem na foto de uma revista de celebridades por estar em forma e aparentar uma idade inferior à que tem. E com um cabelo basto e vigoroso, surpreendentemente negro, apesar da barbinha grisalha. O problema é que dois dias depois de completar cinquenta anos, se ainda houver algum encantamento por aí, Lô Barclay não consegue percebê-lo. As salas VIP não têm o mesmo brilho de outrora e não lhe transmitem mais a sensação de que há um enigma a ser desvendado ao fim de cada evento social. As ondas que pega de manhã são antes uma obrigação do que uma revelação, pois hoje em dia surfa como quem ingere antidepressivos ao acordar. A meditação diária — é duro reconhecer —, ele a pratica de forma desleixada e burocrática. Poucas vezes se desliga dos pensamentos e atinge o estado beatífico de uma mente limpa e isenta de imagens. Ao nascer do sol, por exemplo, toxinas espirituais invadem seu cérebro travestidas de mentalizações impuras. Por mais que Lourenço Barclay relembre a viagem à Califórnia com o avô pela perspectiva de um homem que amadurece com serenidade, ele não consegue se desvencilhar da imagem pueril da namoradinha do Zé Thiago olhando para ele logo que apagou as velas do bolo na comemoração de seu aniversário.

É uma imagem irresponsável e um tanto alarmante.

Enquanto sua mulher o apertava num abraço apaixonado, Lô percebeu o olhar da menina como um radar eletrônico na estrada, ou uma câmera flagrada dentro de um elevador.

Era um olhar estranho, que ele não conseguia entender.

Mais estranha foi sua reação, que entendeu menos ainda. Ju é uma menina de quinze anos, relativamente baixa, pálida como uma assombração ou como alguém que sofre de anemia, com grandes olhos negros espantados. Mas alguma coisa na maneira como ela o observava fez com que Lô a visse como mulher, e não como a namoradinha esquisita do filho.

Ana Cecília Belletti, mãe de Ju, insiste para que a filha a acompanhe num de seus retiros espirituais de fim de semana. Isso não é bom sinal.

Sempre que fareja algum problema com a filha, inventa esses retiros bucólicos, e lá vão as duas passar o sábado e o domingo em alguma obscura pousada de Visconde de Mauá, Mangaratiba ou Rio das Ostras (conforme a estação do ano). Os retiros são bem mais frequentes do que Juliana gostaria, já que, pelo olfato sensitivo e traumatizado da mãe, a menina está sempre com um problema ou outro. Na opinião de Ju, qualquer psicanalista de botequim diagnosticaria que quem tem problemas é a mãe, e não a filha. Para ela, *problemas*, no plural, talvez seja superestimar a capacidade do reservatório psíquico de Ana Cecília.

Na visão da filha, o *problema* da mãe é um só, no singular: ter tomado um pé na bunda do marido há mais de dez anos, do qual nunca se recuperou.

Portanto, ali está Juliana deitada em cima de uma rocha sombreada à beira de uma cachoeira no Parque Nacional da Serra dos Órgãos, enquanto Ana Cecília se embrenha pelo mato em busca de revelações metafísicas.

Coitada, pensa a menina. No máximo vai conseguir algumas picadas de mosquito e uma bela queimadura de sol.

Talvez Juliana esteja sendo rigorosa demais ao acusar a mãe de detectar problemas imaginários. Não dá para negar que desta vez Juliana está com um problema real. Ou será que ficar a fim de transar com o pai do namorado não é exatamente um *problema*? E por que ela deveria se sentir tão culpada por estar se aproveitando de José Thiago, usando o garoto só como ponte entre ela e Lô, se tudo não passa de um devaneio platônico de uma adolescente inventiva e meio desequilibrada? O que há de errado em uma garota pálida de quinze anos sentir vontade de transar com um coroa bronzeado de cinquenta? Enquanto isso não passar de uma fantasia, ninguém vai poder acusá-lo de pedofilia, certo?

E a Ju, do que poderiam acusar?

De safadeza?

De sofrer de algum distúrbio psicológico típico da puberdade?

A questão é: será que Lô também tem essa fantasia?

Por um momento, Juliana acha que está escutando gritos. Ou então as cigarras do parque enlouqueceram todas juntas num surto histérico. Não, ela está escutando gritos. Sua mãe está gritando.

Lô passou a infância e a adolescência em São Conrado, num prédio de luxo à beira-mar construído num terreno dos Barclay, onde eles viveram por muitos anos, numa das primeiras mansões do bairro, demolida em 1969. Quando a construtora comprou a velha mansão, ofereceu à família como parte do pagamento alguns apartamentos no edifício que ali se ergueria. Por esse motivo, os Barclay passaram a ocupar vários andares do prédio — os mais altos, confortáveis e com vista para o mar —, que se localiza muito próximo ao Gavea Golf, clube do qual são sócios até hoje, embora quase não o frequentem mais, a não ser por um ou outro *stroke play* ou almoço comemorativo em que a família se reúne.

Foi nesse ambiente que Lô conheceu Annabel Faria — *née* Anna Isabel Leuchtenberg de Faria —, a jovem nutricionista carioca com quem formou um casal exemplar da *jeunesse* dourada do Rio no final dos anos 1980. O que os uniu, mais do que a procedência aristocrática, foi a identidade na maneira de compreender o mundo de forma diametralmente oposta à que compreendiam seus pais. Dotados de uma curiosidade peculiar, sempre recusaram o esnobismo dos bem-nascidos cariocas, muito embora o que chamassem de recusar o esnobismo fosse também uma forma, mais sofisticada talvez, de esnobismo. Juntaram surfe, design, arquitetura, ambientalismo, alimentação natural, budismo, ioga, tai chi chuan na praia e esqui nas encostas nevadas de Gstaad — onde a família de Annabel mantém até hoje uma charmosa suíte num condomínio próximo da estação de trem — para criar uma redoma de coerência, a coerência deles, em que se instalaram, procriaram e viveram com pensamentos positivos por mais de vinte anos.

Durante esse período, Lô edificou sua reputação de designer de móveis arrojados e arquiteto descolado, um *shaper* visionário preferido por celebridades destacadas, enquanto Annabel, agora Annabel Barclay, depois de alguns anos de muito sucesso dando dicas de alimentação natural num telejornal diário e atuando como *personal nutritionist* de expoentes do mundo artístico e esportivo, abandonou a carreira para acompanhar o marido em viagens e eventos e para se dedicar à criação de Zé Thiago. De uns anos para cá, tem se dedicado também a cuidar de Carolzinha, a lulu-da-pomerânia que tratam como filha caçula.

A beleza de Annabel só fez se intensificar nesses anos todos, uma mulher que, aos quarenta e seis, se dá ao luxo de não tingir o cabelo, ostentando longas madeixas grisalhas — prateadas, como define Lô — que só arrancam olhares de admiração onde passam. Seu corpo igualmente mantém o tônus e a formosura de uma jovem de trinta, cultivados por corridas diárias pelo calçadão, natação no mar, pilates e ioga duas vezes por semana, alimentação natural e injeção eventual de botox no rosto e silicone no estonteante par de seios, que esmoreceram um pouco depois da amamentação de Zé Thiago.

O relacionamento sexual de Lô e Annabel também é digno de nota. Praticantes de longa data de técnicas tântricas, mantiveram a chama acesa e a vela ereta por vinte e tantos anos ininterruptos até que, no malfadado dia de seu aniversário de cinquenta anos, Lô, sem saber muito bem por quê, brochou.

Os gritos de Ana Cecília infelizmente não expressam o júbilo de uma mulher a quem a luz divina se revela na forma de um raio translúcido de sol entre as folhagens do Parque Nacional da Serra dos Órgãos. Foi uma picada de cobra mesmo. Bem que Ju pressentiu que a história de a mãe caminhar sozinha no mato em busca de revelação espiritual ia dar merda.

Ao ouvir os gritos, a menina corre por um matagal até uma moita e encontra Ana Cecília sentada, gritando Uma cobra! Uma cobra!, enquanto aponta para dois pontinhos vermelhos que se destacam em sua canela inchada. Ju começa a gritar também, e logo alguns jovens atléticos que passam paramentados como membros de uma expedição científica (mochilas coloridas, binóculos, botas e equipamento de alpinismo) a ajudam a amparar Ana Cecília até a estrada, onde uma van de turistas as conduz até um hospital em Petrópolis.

Ana Cecília é tratada com soro antiofídico e analgésicos e deixada em observação por algumas horas. À noite, mãe e filha voltam para a pousada em Teresópolis, de táxi, e no dia seguinte regressam para o Rio, Ju toda empipocada de picadas de pernilongos, Ana Cecília dirigindo o carro e reclamando da cobertura do seguro saúde.

Enquanto descem a serra por curvas de dar nó no estômago, Juliana diz à mãe que é bem provável que àquela altura a jararaca-da-serra que a picou esteja morta ou agonizando sob uma quaresmeira. Ana Cecília concorda, rindo: É verdade, não é qualquer jararaca-da-serra que vai acabar comigo.

Ju precisa admitir, a mãe é cascuda.

Embora nunca tenha se recuperado totalmente da separação.

Há dez anos, quando o marido a despachou, foi obrigada a "recomeçar do zero" (assim a filha define a situação para sua amiga Lelê, e imagina a mãe carregando uma cruz).

À exceção da confidente Lelê, Juliana resiste a comentar com outras amigas as agruras por que passou depois da separação dos pais. Não quer entediá-las com nenhuma lenga-lenga sentimental sobre casais separados e lares destruídos.

À noite, Ana Cecília passa pelo corredor e flagra a filha nua no quarto, enxugando-se depois do banho: Ju, por que você não raspa os pelos como as meninas da sua idade?

Ah, mãe, vai passear, diz a garota, fechando a porta.

Em seguida Ju se deita e pensa em Lô. Imagina-o nu em posição de lótus, meditando, e de sua figura sentada desponta um falo grosso ornamentado com veias azuis, que lembram o caule de uma árvore ancestral de mito hindu, um cilindro inflável, duro, que se projeta na paisagem como um farol cujas luzes orientam navegadores noturnos. Uma pica digna de um príncipe, Lô, luz da minha vida, labareda na minha carne...

Um pau mole, Lô pensa, é como uma interrogação de cabeça para baixo. Assim lhe pareceu o seu nos momentos que se seguiram à brochada na noite de seu aniversário de cinquenta anos. Não que isso o tenha preocupado especialmente — o fato de ter brochado, e não de seu pênis em repouso se assemelhar a um ponto de interrogação ao contrário.

Homens sensíveis brocham às vezes, e foi isso que Annabel disse quando constataram o inevitável fracasso do que deveria ter funcionado como a apoteose tântrica das comemorações do Cinquentenário de Lourenço Barclay.

Lô teve de confessar a Annabel que, por mais sensível que um homem se considere, não há nada que o console depois de uma brochada. Ainda mais uma brochada como aquela, sofrida, suada, quase trágica, em que ele tentou por intermináveis minutos estimular a ereção com uma punheta obsessiva, que só evidenciou a sensação de que sua mão inchava dolorosamente enquanto o pau desaparecia sob seus dedos. E ainda que tenha pedido — talvez, no calor do momento, tenha até *ordenado*

— que Annabel perfilasse a sequência de posições que mais o excitam, em especial aquela em que ela fica de quatro com a vagina aberta como uma ostra sorridente, e meneios sutis da cabeça fazem sua trança prateada serpentear pelo dorso bronzeado, nada conseguiu endurecer o membro do designer naquela noite.

Ele tenta não dar muita importância ao fato, afinal são muitos anos de um relacionamento bem-sucedido, e mesmo que Annabel tenha atribuído o fracasso erétil a uma ou duas taças de champanhe que o marido ingeriu depois de cantar o parabéns, quando brindavam e partiam o bolo, Lô sabe que não se pode culpar os vinhedos franceses por aquele lapso sexual. É provável que tudo seja parte do processo biológico de um organismo de cinquenta anos, embora ele tenha se imaginado imune a crises como essa, talvez por ostentar um corpo sarado que nem de longe remete a um senhor de meia-idade — só a barbinha grisalha sempre por fazer o envelhece um pouco, conferindo, porém, experiência, charme e uma inegável respeitabilidade a sua figura —, por praticar técnicas que mantêm seu organismo oxigenado e a mente alerta, além de ingerir alimentos abundantes em ômega 3 e moléculas antioxidantes que garantem a boa saúde de suas células.

Talvez pela primeira vez na vida, Lourenço Barclay sente-se um idiota: sua obsessão neurótica pela saúde só esconde o terror de envelhecer; a devoção ao budismo apenas ressalta o pavor da morte; o orgulho vaidoso da família, da carreira e do casamento serve unicamente como máscara perfeita para a sua incapacidade de compreender o mundo.

Ana Cecília diz que mulheres que moram sozinhas têm de saber se proteger. Isso não significa que ela e a filha treinem jiu-jítsu ou outro método de defesa pessoal. Nem que mantenham a porta de casa sempre trancada, já que Juliana vive esquecendo de levar a chave quando sai. A questão tem um viés freudiano: desde que as duas deixaram a casa do pai de Ju, Ana Cecília desenvolveu um estranho fascínio por arremessar facas e punhais.

A prática talvez se justifique pelo mito familiar de que a avó de Ana Cecília era uma mulher alvo de um arremessador de facas, morta carbonizada no trágico incêndio do Gran Circus Norte-Americano em Niterói, em 1961.

Em seus retiros espirituais de fim de semana, é comum Ana Cecília levar, junto com a cesta de piquenique e *O segundo sexo* carcomido por traças misóginas, o estojo de madrepérola em que guarda seu trio de punhais brilhantes. Mas só quando vai a lugares desolados, desses em que se pode descobrir um descampado propício ao arremesso de armas brancas, sem importunar, assustar, ou mesmo *ferir* vizinhos. Lugares em que uma criança desavisada não surja de repente como um coelhinho boboca correndo de uma moita direto para a linha de tiro.

Hoje mãe e filha estão num desses sábados, digamos, pontiagudos. Em uma pousada em Mangaratiba, a Morada do Sabiá Vermelho. Não é a primeira vez que se hospedam ali. A novidade, agora, é que Lelê foi convidada para o programa. Ju não convidaria qualquer amiga para passar um fim de semana pontiagudo na Morada do Sabiá Vermelho. Mas Lelê não é uma principiante, já conhece algumas idiossincrasias da dupla. E, é preciso dizer, ficou animadíssima com a história de arremessar punhais!

De manhã bem cedo, depois do café, as três se besuntam de protetor solar, põem botas e chapéus, distribuem estojo de madrepérola, sanduíches, biscoitos, maçãs e garrafinhas d'água em sacolas de sisal e mochilinhas, e saem pelas matas de Mangaratiba, no sentido oposto ao do mar. Os funcionários da pousada já estão acostumados e não estranham a direção invertida do trio. Ao chegarem a um descampado, descansam e fazem um piquenique, em que bebem água e comem sanduíches e maçãs. Então começa o ritual da faca propriamente dito, quando Ana Cecília, depois de instruir Lelê sobre os princípios básicos do arremesso (pegada, ajuste de ângulo e lançamento), espalha os alvos sobre tocos de árvores ou apoiados em pedras, moitas e formigueiros. Ela costuma preparar alvos de tiro comuns, usando folhas de cortiça estampadas com círculos coloridos concêntricos. Ju só não entende por que desta vez um deles traz a imagem sofrida de madre Teresa de Calcutá. Por mais que Lelê esteja acostumada às maluquices da mãe da amiga, aquele alvo com o rosto de madre Teresa talvez seja um pouco demais para ela.

Não sei se vou conseguir atirar uma faca nessa freira, diz Lelê.

Vai, sim, afirma Ana Cecília. Preparei esse alvo especialmente pra você.

Pra mim? Sacanagem. Parece uma tiazinha do bem.

Tiazinha do bem? Não está reconhecendo? É a madre Teresa de Calcutá, alerta Juliana, a Santa das Sarjetas!

Você tem que se desapegar, Lelê, aconselha Ana Cecília, senão quem acaba na sarjeta é você. Mete uma facada na cara da madre Teresa e você vai se sentir melhor. É uma espécie de libertação.

Não é pecado?

Pecado é um conceito *bastante* discutível, querida. De qualquer forma, pecado seria atirar uma faca na madre Teresa real, de pele e osso. Aliás, mais que pecado, um crime horroroso. Mas a madre Teresa já morreu, e aquilo ali é só um alvo que preparei com uma foto. Um símbolo sobre papel e cortiça, nada mais.

Lelê permanece um tempo em silêncio, olhando para o rosto da santa.

Relaxa, diz Juliana, eu já precisei esfaquear Jesus Cristo.

Annabel e Lô vão a um luau na casa de Tavinho Sabão, um surfista da velha guarda e hoje dono de uma cadeia de restaurantes de comida peruana. Lá se reúnem amigos que não se veem há anos. Quem pensa que surfistas aposentados, arquitetos meditativos, *shapers* grisalhos, fotógrafos iogues e políticos budistas não se emaranham pelo *samsara* da vida, se engana. *Samsara*, como se sabe, é a definição que budistas dão ao fluxo incessante da vida, do qual só se escapa pela iluminação. Ninguém mais tem tempo para nada, muito menos para a iluminação, e longe vão os dias em que uma viagem para surfar no Peru ou na Austrália era organizada com facilidade e adesão irrestrita.

Enquanto administra, com a ajuda de sua jovem esposa Rubi — a terceira ou quarta, uma estilista catarinense de não mais que vinte e um anos —, as grelhas onde picanhas, maminhas, garoupas, robalos, berinjelas e abobrinhas são assados, Sabão enrola baseados e abre garrafas de vinho que serve pessoalmente aos convidados.

Mais tarde, quando todos já comeram e beberam mais do que o suficiente e grande parte da galera se amontoa em volta da fogueira ouvindo advogados e engenheiros tocarem violão e gaita e desfilarem o repertório de Jack Johnson, Ben Harper, Red Hot Chili Peppers e Bob Marley, Lô e Sabão se afastam e vão para perto do jasmim-manga que resplandece ao longo do muro que divide o quintal de Sabão do quintal do vizinho. Pouco antes Lô tinha convocado o ex-surfista para uma conversa particular, sem saber bem por quê. Nunca foi do seu feitio abrir-se com os amigos nem interpelá-los com questões pessoais; pelo contrário, Lô sempre ostentou segurança e autossuficiência inabaláveis, muitas vezes interpretadas como arrogância.

Como você consegue?, pergunta Lô.

Consegue o quê? Dropar a Teahupoo?, diz Sabão, vesgo enquanto se concentra em acender um resto de baseado.

Ele se refere à onda Teahupoo, do Taiti, uma das mais temidas pelos surfistas, por causa de seu tamanho e da bancada de coral muito rasa. Sabão traz à tona um velho estigma pelo qual Lô ficou marcado na turma: o de ter sido um surfista amarelão, que medrava frente a ondas muito grandes. O designer sempre foi alvo de desconfianças por pertencer a uma família aristocrática e por seus pendores artísticos terem sido mais determinantes que os esportivos.

Estou de sacanagem, Barclay!, esclarece Sabão antes que Lô diga qualquer coisa. Ele larga o resto do baseado que já queima seus dedos enquanto uma rajada de vento balança as folhagens. Está entrando um sudoeste!, conclui, solene, deixando à mostra seus incisivos de leão-marinho. Aponta para o outro lado do quintal: olha quem tá ali, parado embaixo da mangueira.

Lô repara num homem alquebrado de meia-idade, de costas, que observa o céu encostado ao tronco da árvore.

É o Jackson Calhau, diz Sabão.

Por um instante, os dois parecem se lembrar das manobras que fizeram de Jackson Calhau a grande sensação do campeonato nacional de surfe em Cabo Frio, em 1979, com apenas quinze anos de idade. Seu cabelo agora ralo, cinzento e desgrenhado em nada se assemelha à cabeleira de cachos brancos e volumosos que fazia, na juventude, sua cabeça ser confundida com a bunda de uma ovelha.

Ele não estava internado numa clínica de reabilitação para drogados?, pergunta Lô.

Ninguém é de ferro, Barclay.

Nesse momento, Rabbit, o rottweiler de Sabão, chega correndo e salta sobre o dono, desabotoando sua camisa e deixando à mostra parte de seu peito musculoso. Lô tem o vislumbre da tatuagem estampada no tórax sem pelos do amigo, a imagem quase em tamanho real do rosto de Eddie Aikau, um lendário surfista e herói nacional do Havaí. As patas dianteiras de Rabbit se apoiam no rosto de Aikau.

Mas me diz: como eu consigo o quê?, pergunta Sabão, segurando o focinho do animal. Rabbitinho...

Namorar uma garota trinta anos mais nova que você.

Eu é que pergunto como é que você consegue namorar a mesma mulher a vida inteira, apesar de eu achar a Annabel uma gata, lógico.

Ficam em silêncio, a pergunta de Sabão pairando no ar ao sabor da barrufa da maconha e do perfume das plumérias. Rabbit também parece perceber a gravidade do momento, pois se acalma e senta sobre as patas traseiras.

Passar a vida inteira fodendo a mesma boceta, Lô? Não entendo. Apesar de saber que você e a Annabel têm um lance especial, lógico.

Lourenço Barclay não consegue declarar nada de substancial a respeito. Apenas concorda: Lógico.

A conversa resvala para temas genéricos e os dois logo voltam para a fogueira, onde uma canção do Sublime é entoada como um hino, enquanto Annabel e Rubi dançam como possuídas. Lô nota que Jackson Calhau, alheio à agitação do luau, continua encostado à mangueira, imóvel, contemplando o nada.

Ju é oficialmente convidada para jantar no feudo dos Barclay.

Seduzir Annabel durante a refeição não é difícil. Juliana prepara o prato de José Thiago, e isso é uma coisa que sogras adoram. A menina demonstra carinho e critério enquanto finge escolher quais daqueles insossos bolinhos de alga e rabanetes confitados são os mais recomendáveis para a dieta do namorado. Depois elogia o cabelo grisalho de Annabel, dizendo como é estimulante para uma garota como ela ver uma mulher madura, ex-nutricionista famosa (capricha no *famosa*), assumir a cor natural de seu cabelo. Como golpe de misericórdia, sugere uma relação mística entre o cabelo da sogra e a comida servida na mesa, como se as papas naturebas e o cabelão hippie desvendassem algum complexo enigma existencial.

José Thiago e Lô estão meio burocráticos, como se estivessem com sono, sem demonstrar muito interesse no papo de Ju e Annabel, embora Lô dirija à adolescente alguns olhares agudos de vez em quando. Deve ter a ver com o fato de pai e filho acordarem cedo, sempre às voltas com meditações, jiu-jítsu, rituais budistas e surfe matinal. Já Carolzinha, a cerberazinha de estimação que come à mesa com a família, observa Ju atentamente o tempo todo. Essa não engole a namorada de José Thiago nem com maionese canina orgânica.

Depois do jantar, Annabel autoriza Juliana a passar a noite no apê imaculado, acompanhada de José Thiago. Ju avisa à mãe que dormirá na casa da Lelê, devidamente informada da tramoia.

No quarto, Juliana diz para José Thiago que está meio indisposta (está é com fome) e que não se sente na vibe de transar. Acaba batendo uma punhetinha para ele. Depois fuçam a internet, conversam com amigos pelo Face e assistem a um filme meio chato sobre crianças órfãs no Afeganistão. O bom de o filme ser chato é que José Thiago dorme logo. Juliana fica um tempo sem fazer nada, até que resolve arriscar um tour pela espaçonave fantasma. Pega um bombom que lembra ter deixado na mochila e sai do quarto só de calcinha, camiseta e olheiras profundas. Sem acender a luz, caminha pelo apê orientando-se como um morcego.

A casa está escura e silenciosa, comprovando que os Barclay já dormem. Juliana não se surpreende, são todos muito saudáveis e metódicos. Olha a praia pela janela da sala, ajoelhada numa das famosas poltronas da série Tubo em Waimea ao Cair da Tarde. Vista incrível a do mar noturno do Leblon, embora um pouco entediante depois de alguns minutos. Sente vontade de fazer xixi e vai até o lavabo. Para não chamar a atenção, não acende a luz, apenas encosta a porta. Enquanto urina, percebe pequenos pontos luminosos que se destacam no chão escuro, como uma miríade de vagalumes imóveis. Nota que azulejos fosforescentes formam uma mandala colorida no centro do piso do banheiro.

Depois de se limpar e dar a descarga, ajoelha-se para observar melhor aquele desenho fascinante. A luminosidade leitosa da lua que atravessa a janela facilita a visão. Por alguns momentos, Ju permanece ali como que hipnotizada. Até que, de repente, as luminárias do lavabo se acendem.

Lô trabalha há meses na execução de um projeto de painéis gigantes de *blank* — espuma de poliuretano — para o Museu do Surfe, que será inaugurado em San Diego. É o único designer brasileiro convidado a participar do projeto, patrocinado pela Microsoft, e a deferência o lisonjeia. Embora um pouco atrasados, ele e seus funcionários estão em fase de finalização dos painéis. No entanto, uma sombra se projeta sobre seu ateliê. Não se trata de um fenômeno meteorológico da Barra da Tijuca. A mesma sombra tem acompanhado Lô Barclay onde quer que ele esteja. Na noite em que Juliana, a namorada anêmica de Zé Thiago, dormiu em sua casa, aconteceu algo que, de certa forma, nublou a mente quase sempre ensolarada do designer.

Durante o jantar, Lô portou-se como um velho decrépito. Enquanto Annabel exultava com a cultura, a educação e a presença de espírito da menina, cobrindo-a de atenção e se esforçando para não parecer uma sogra banal, pelo contrário, exagerando nos elogios e forçando uma intimidade que não existe entre elas, Lourenço Barclay insinuava sorrisos geriátricos ao ouvir histórias em que não conseguia prestar atenção, tentando esconder de si mesmo a constatação terrível e desestabilizadora, doentia até, de que não pode mais fugir e sobre a qual evita pensar, pelo terror de ter de admitir tamanha abjeção.

Horas depois Annabel já tinha adormecido, mas Lô não conseguia dormir.

Sentia-se incomodado.

Estranhamente — ou *diabolicamente* — excitado. Mas não no sentido sexual. Sentia-se ameaçado por alguma coisa desconhecida. Decidiu tomar um copo de chá verde gelado, pois os Barclay sempre têm uma jarra de chá verde na geladeira. Levantou-se e caminhou até a cozinha. Ao passar pela sala, percebeu um movimento no lavabo. Aproximou-se em silêncio e, pela porta entreaberta, viu Ju, só de calcinha e camiseta, ajoelhada no chão.

Assim que Lô acendeu as luminárias, Ju se levantou num salto e dirigiu ao designer um sorriso ambíguo, como se dissesse: Eu sabia que você ia aparecer, e essa impressão foi de tal maneira intensa que Lô se sentiu culpado, como se estivesse fazendo alguma coisa errada. Não se lembra do que falou, mas notou sob a minúscula calcinha branca de Juliana um considerável monte de vênus muito negro, e, ao desviar os olhos, percebeu que a menina reparara no olhar que ele lançara para os seus pentelhos e perguntou, sorrindo: Você gosta? Isso o deixou absolutamente perplexo. Gosta do quê?, pensou Lô, dos pentelhos dela?, e Ju, como se adivinhasse os pensamentos dele, balançou a mão para que ele visse o bombom e explicou, com ar divertido: Alô! Você gosta de Sonho de Valsa?

Depois de seu olhar ter sido capturado por um instante pela calcinha de Juliana, Lô tentou se recompor. Como um cavalheiro meio abestalhado, admitiu que não gostava de Sonho de Valsa (*Procuro evitar açúcar e alimentos industrializados*) e em seguida explicou à menina que o mosaico que atraíra a atenção dela no piso do lavabo era uma reprodução fosforescente da rosa dos ventos da mais antiga carta náutica portuguesa conhecida, datada de 1492 e assinada pelo cartógrafo lusitano Jorge de Aguiar. Enquanto devorava o bombom, Juliana voltou a se ajoelhar para observar mais de perto o mosaico. Lô dissertou professoralmente sobre as peculiaridades daquela rosa dos ventos e suas indicações precisas do lés-nordeste, oés-sudoeste, nor-noroeste, azimute e outros eletrizantes termos cartográficos. Quando o assunto acabou e o designer se preparava para voltar a seu quarto (a essa altura já havia se esquecido do chá verde), Ju, com os lábios manchados de chocolate, viu de relance um movimento sutil sob o pijama em que se estampavam pagodes, vulcões e barquinhos a vela, e não resistiu a dizer alguma coisa que tirasse o Lô daquela segurança e autocontrole. O volume sob o tecido brilhante, que revelava um pau numa meia bomba respeitável, acabou inspirando Juliana a falar de supetão: Eu gosto do seu cheiro.

Lourenço Barclay fez uma cara estranha, como se sofresse os prenúncios de um enfarte, fingiu que não tinha escutado nada, deletou geral, disse boa-noite e voltou para seu quarto.

Mais tarde Juliana pensa que se arriscou bastante ao dizer aquilo. Mas, pela cara angustiada de Lô, pressente que está salva e que ele ficará com aquela frase ecoando pela cabeça por meses, remoendo "Eu gosto do seu cheiro" sem conseguir revelar a ninguém a ousadia da norinha.

Talvez esteja enganada, claro.

Mas o que Lô Barclay pode fazer contra Juliana Belletti, afinal de contas?

Comentar com sua mulher que a garota deu em cima dele no lavabo?

E aí?

O que pode acontecer de pior?

Annabel e Lô decidirem chamar José Thiago para uma conversa e revelarem ao filho que Juliana não merece o amor puro de um rapaz criado segundo princípios humanistas, didática de escolas bilíngues e ensinamentos budistas?

E daí?

José Thiago termina o namoro e vai fazer terapia para se refazer do trauma?

Não é um cenário tão apocalíptico. Qualquer fim de semana no morro do Alemão produz mais baixas, vítimas fatais e sequelas psicológicas.

Lourenço Barclay não se esquece, numa viagem que ele e Annabel fizeram a Berlim, de sua comoção ao tocar uma das imensas chapas curvas de aço corten da *Berlin Junction*, a transcendente escultura do artista plástico californiano Richard Serra. Lô se sentiu como um daqueles macacos do filme *2001: Uma odisseia no espaço*, de Stanley Kubrick, quando se deparam com o enigmático monólito negro que lhes transmite um saber desconhecido.

Para Lô, o aço corten de Serra impele o observador ao vazio incalculável do Universo. Por alguma razão — que à falta de definição melhor ele explica como "sincronicidade" —, entende que as obras de Serra estão intimamente ligadas à hipótese de Gaia, do cientista britânico James E. Lovelock, segundo a qual a Terra é um organismo vivo em permanente estado de homeostase, a capacidade que certos organismos têm de regular seu próprio equilíbrio.

Lô Barclay sempre acreditou nas coincidências significativas de que Jung falava em seus estudos, e vê no conceito da sincronicidade uma forte relação com os pressupostos da lei do carma hinduísta. Agora mesmo, em seu escritório, sem saber por quê, como que movido por uma, ele pensa, intuição luminosa, seu olhar se dirige a O tao da física, de Fritjof Capra, que guarda na estante ao lado de uma reprodução do *De architectura*, de Vitrúvio. De repente a intuição luminosa entra numa espiral, sugada por um ralo imaginário, e deixa de fazer qualquer sentido, já que Lô apenas tergiversa e se enreda em circunlóquios mudos que o impedem de analisar com objetividade os dados da realidade: que naquela manhã, depois de meditar, surfar etc., quando entrou no escritório encontrou em sua mesa um embrulho de presente, entregue, segundo sua secretária Luciana, por um motoboy duas horas antes. No volume não havia nenhum cartão indicando a identidade do remetente. Lô desembrulhou o pacote e deu com um livro enorme de Richard Serra, com fotos de toda a sua obra, editado nos Estados Unidos. Na primeira página, nenhuma dedicatória. Apenas um recado intrigante grafado com letra de menina.

Bem, quem dá o primeiro passo acaba tendo que dar o segundo.

Juliana Belletti está convicta de que é preciso estudar o inimigo para conhecê-lo melhor. Pesquisou na internet e, com a ajuda involuntária de José Thiago, que sempre dá uma dormidinha depois que transam, bisbilhotou alguns cômodos da nave fantasma adornada com móveis estranhos em forma de prancha de surfe, dessa vez à luz do dia e decentemente vestida, às vezes trombando com uma ou outra empregada, mas sempre atenta aos sinais que emanam de quadros e fotografias na parede, de porta-retratos sobre mesinhas, de lombadas de livros na estante do corredor dos quartos, de capas de livros de arte e gastronomia naturalista sobre mesonas e de revistas de surfe espalhadas por estantes na sala e na biblioteca usada também como home theater, cujas pilhas de DVDs foram memorizadas. Mesmo que a cadelinha Carol a tenha flagrado xeretando ampulhetas e clepsidras que contornam o altar budista, e latido como se a menina encarnasse o espírito ancestral de todos os gatos do planeta, Ju conseguiu reunir informações relevantes sobre o adorável Bibelô, acredita, sem levantar maiores suspeitas.

Depois de duas tardes de intensa pesquisa, Ju encontrou numa livraria do shopping Leblon o que buscava, um livro com fotos de esculturas que fazem o leitor se sentir no labirinto de um pesadelo heavy metal. Pediu um embrulho para presente, e, antes de remeter o pacote ao escritório — ou melhor, ateliê — de Lô Barclay na Barra, o toque fatal: um breve convite assinado.

Me encontre depois de amanhã às dez horas na praia da Macumba. Ju.

José Thiago Leuchtenberg de Faria Barclay nasceu numa tarde nublada, de parto de cócoras, no sítio da família na região de Petrópolis. Na época Annabel e Lô estavam envolvidos com técnicas alternativas de medicina, como a chinesa e a aiurvédica, e, hoje admitem, foram um pouco precipitados e irresponsáveis ao permitir que o parto acontecesse no sítio, da maneira mais natural possível, como se ainda vivessem no tempo das cavernas, correndo riscos desnecessários no limiar do século XXI.

Por sorte, o nascimento de Zé Thiago transcorreu sem problemas, e com a ajuda de Liane Shaco Bastos, uma parteira holística muito conceituada na época por seus estudos sobre técnicas de obstetrícia das índias mashco-piro, da Amazônia peruana, Annabel e Lô trouxeram à luz um bebê robusto.

Aos olhos dos pais, Zé Thiago sempre foi um menino especial. Destacou-se nos esportes, com aptidões — que o pai nunca demonstrara — para futebol e tênis, além de confirmar a herança genética em seu gosto — e habilidade — por golfe, natação, pingue-pongue e surfe. Além disso, apaixonado pela cultura brasileira — que os pais sempre fizeram questão de valorizar em casa, apesar de o menino estudar em escola bilíngue —, demonstrou desde cedo interesse pela capoeira, em que é quase um mestre, além de ser faixa vermelha e preta no jiu-jítsu brasileiro, essa criação genial de Carlos Gracie, um visionário tupiniquim do calibre de um Burle Marx, no entender de Lourenço Barclay.

O designer vangloria-se com os amigos de que Zé Thiago não é desses meninos que se destacam nos esportes mas demonstram dificuldades nos estudos acadêmicos. Segundo o pai, o filho é excelente aluno, com aproveitamento acima da média nas matérias de humanas, embora tenha ótima performance também em matemática, física, biologia, química e ciências em geral. Aos sete anos, já lia compulsivamente J. K. Rowling e Monteiro Lobato em suas línguas-mães, e por ambos nutria uma admiração ilimitada, reveladora da educação privilegiada que havia recebido.

Por muito tempo Zé Thiago sonhou com a carreira diplomática, e o Itamaraty foi sua meta. Recentemente, encantou-se pelo curso de relações internacionais, por oferecer opções mais variadas de atuação profissional, e pretende ingressar em Yale ou Columbia, para o orgulho sobretudo de Annabel e Lô, que sempre estimularam o filho a estudar no exterior em razão da abertura de horizontes e da ampliação de conhecimentos que a experiência acarreta. Por esse motivo, uma vez por semana os três comunicam-se apenas em inglês durante o jantar.

Depois de um desses *language dinners*, Zé Thiago entra na biblioteca enquanto Lô beberica o resto de uma taça de vinho orgânico e folheia distraidamente o *Tao Te King — O livro do caminho e da virtude*, de Lao Tsé, um filósofo da China antiga, e diz: *May we talk in portuguese now?*

Por um momento, observando um esgar de tensão no rosto normalmente inexpressivo do filho, Lô teme que ele se refira à namorada e o constranja com uma conversa que ele simplesmente não saberia como conduzir. Com fôlego curto, responde, tentando aparentar casualidade: Claro, filho. *Have a seat.* O que foi? Zé Thiago larga-se numa poltrona da série Surfer's Paradise Em Noite De Lua Nova, e diz: *Problem.* Em seguida fica em pé novamente e abaixa a bermuda: Tem um lance na minha virilha. Olha. Lô se ajoelha na frente do filho para observar a virilha.

Um pensamento impuro lhe ocorre ao ver o pênis de Zé Thiago tão de perto. Aquele membro que já fora pequeno e casto como o sexo de um anjo tomara a forma agressiva de um caralho adulto. Não pode deixar de pensar que aquela massa de carne, quando ereta, penetra as entranhas de Juliana, a diabólica ninfeta que declarara gostar do cheiro dele na noite em que a flagrou observando a rosa dos ventos fosforescente no chão do lavabo.

É só um pelo encravado, constata Lô, aliviado por o problema não ter vínculos com Juliana.

Pai e filho vão até o banheiro da suíte do casal, onde Lô encontra na gaveta de remédios a pomada de alfafa californiana, uma verdadeira panaceia para males cutâneos. Pede que Zé Thiago baixe novamente a bermuda, para que ele aplique a pomada em sua virilha, mas o menino diz: Pode deixar que eu passo.

Lô permanece ao lado do filho enquanto ele aplica a pomada, de frente para o espelho. Ao sentir o perfume adocicado da alfafa orgânica inundar o ambiente, Lô observa o reflexo deles no grande Saint-Gobain que ocupa quase uma parede inteira do banheiro, uma releitura avant-garde de um modelo clássico usado nos toaletes do Palácio de Versalhes. Por um momento, com a cabeça curvada sobre o próprio tronco, Zé Thiago lhe parece um estranho. Ele próprio se acha um pouco estranho, experimentando uma sensação de déjà-vu, como se aquela situação já tivesse ocorrido antes. Cogita que ele talvez tenha sido, numa vida passada, um membro da corte de Luís xiv cujo espírito se reconhece no espelho.

Não terá sido, porventura, o próprio Rei Sol?

Pronto, diz Zé Thiago depois de terminar a aplicação, arrancando o pai de seus delírios majestáticos.

Fique com a pomada, sugere Lô. Passe umas três vezes por dia.

O menino o abraça e sussurra em seu ouvido: É muito bom ter um pai como você.

Por quê?, Lô pergunta, inundado de ternura paternal, embora alguma força comprima seu coração.

No secrets, diz Zé Thiago. E sai do banheiro.

Lourenço Barclay permanece ali como um pai na plataforma da estação de trem se despedindo do filho que vai para a guerra.

Ou seria ele mesmo, o pai, quem se encaminha para a batalha? Volta à biblioteca e bebe o que resta da taça de vinho, tentando se acalmar. Não, eu não vou à praia da Macumba amanhã, pensa. É preciso pôr um ponto-final nesse nonsense todo. Talvez. Hum, excelente o retrogosto desse cabernet.

Ju, de chapéu, lambuzada de protetor solar, vestindo uma sainha jeans e um top preto com óculos escuros retrôs comprados pela mãe num brechó em Santa Teresa, desce do ônibus depois de duas horas de viagem até a praia da Macumba, que fica alguns metros depois do fim do mundo, nos confins do Recreio dos Bandeirantes.

A adolescente fatal, depois de raspar obsessivamente os pelinhos debaixo do braço (acha-se sexy com as axilas lisas como as de um bebê) e de mentir para a mãe que faria um passeio com a turma da escola a uma reserva ecológica em Vargem Grande, desembarca na praia semivazia (mormaço e vento) para a grande aventura sexy de sua curta existência.

Ela olha o celular, ainda faltam vinte minutos para as dez horas. Senta-se na mureta que separa a calçada da areia, num ponto mais ou menos no centro da praia, e observa os banhistas. O dia não está bom para praia. Um vento frio sopra do mar e algumas nuvens escuras ameaçam chuva num céu cinzento.

O tipo do dia que a inspira a fazer coisas estranhas e inesperadas.

Vê uns caras com pinta de salva-vidas correndo, um surfista solitário remando ao léu, uma galerinha jogando frescobol e um casal sob uma barraca. Alguns vendedores dispersos caminham pela areia com passos desanimados. Até onde pode ver, Lollipop não está na área.

Às dez e quinze começa a ficar impaciente. Levanta-se e caminha pelo calçadão, andando de um lado para o outro da praia, sempre atenta aos (pouquíssimos) carros que se aproximam. Às dez e meia se pergunta se o programa não terá micado. Senta na mureta de novo, depois se levanta mais uma vez, de frente para a rua, ansiando ver o carrão de Lô Barclay aparecer como o trenó do Papai Noel conduzido por nove renas voadoras. Então sente um arrepio percorrer suas costas com a intensidade de um vento gelado soprando da Fortaleza da Solidão.

Em 1956 Dorian Paskowitz tentou se alistar nas Forças Armadas israelenses para participar dos conflitos da Guerra de Suez, mas foi rejeitado. Acostumado ao surfe, abandonou as praias de Gaza e dirigiu-se ao sul pelo deserto de Neguev em busca de si mesmo entre montanhas de pedra e areia, vento incessante e beduínos ocasionais que pairavam ao longe como miragens. A experiência de Paskowitz remete a Jesus, que vagou em jejum por quarenta dias pelo deserto e, antes de encontrar as respostas para suas buscas, teve de se confrontar com o diabo. Este lhe sugeriu algumas provocações: transformar pedras em pão para saciar a fome, saltar do alto de um templo para que anjos o salvassem e idolatrar o diabo em troca de todos os reinos do mundo. Jesus resistiu às tentações, resignou-se e, por fim, foi recompensado com um banquete servido no deserto pelas mãos de anjos.

É como Jesus que Lô se sente quando volta para casa e Annabel o aguarda com uma deliciosa torta integral de brotos de bardana com shiitake. Ele nota que sua mulher se parece com um anjo e que seu longo cabelo grisalho pode ser admirado como uma asa única e high-tech de um anjo moderno, ou como o véu de uma pitonisa contemporânea do templo de Apolo. Não que esteja se comparando a Jesus Cristo ou a Apolo, de maneira nenhuma, nem a Dorian Paskowitz, não, nem crê que as desconsoladas pedras cinzentas do Deserto da Judeia ou o solo arenoso das ruínas de Delfos se assemelhem às areias brancas da praia da Macumba. O que ele acha é que Juliana Belletti pode muito bem ser uma encarnação do diabo. E, como Jesus, ao se aproximar dela na praia, Lô disse: Vai embora, Satanás!

Sim, Lourenço Barclay foi à praia da Macumba.

Claro.

E não sabe dizer por que falou aquilo, e daquela maneira, como se tomado por algum espírito ancestral e ridículo. Lô é budista e acha o cristianismo anacrônico, apesar de sua formação católica de infância. Mas enquanto corria pela areia em direção a Juliana, depois de observá-la do mar por mais de quarenta minutos sem que ela notasse, a passagem da tentação de Cristo no Evangelho de Mateus lhe veio à lembrança.

Vai embora, Satanás!, repetiu, e Ju começou a rir.

Ela disse: Gostoso!, e isso, de certa forma, abalou a determinação de Lô.

Gostoso!, ela repetiu, e Lô teve a confirmação de que lidava com o demônio em pessoa.

Ficaram frente a frente na calçada da praia da Macumba, vazia naquela manhã nublada, e enquanto o designer recuperava o fôlego Juliana concluiu, sorrindo, sem disfarçar a lascívia com que mirava seu peitoral arfante: Que bom que você veio.

Lô encarou-a com a determinação de Jesus frente ao diabo e sentenciou: Precisamos conversar.

Minutos depois, Ju e Lô estavam a bordo da Land Rover. Por algum motivo a ser analisado numa sessão de psicoterapia, em vez de tomar o caminho de volta, no sentido da zona sul, Lô rumou em direção a Grumari, do lado oposto. Enquanto dirigia, disse a Juliana que era preciso dar um basta àquele nonsense, que ele era um homem de cinquenta anos, famoso, bem-casado, pai do namorado dela, e que a situação que ela tentava impor, além de constrangê-lo, beirava a loucura. Reforçou que aquilo era absurdo, além de criminoso, já que ela era menor de idade, e que, se não parasse imediatamente com sua maquinação perversa, ele a denunciaria, e às suas maluquices, não apenas a Zé Thiago e Annabel, mas também à mãe dela e aos coordenadores e pedagogos da escola em que estudava, cujos educadores conhecia de reuniões de pais e por quem era muito respeitado.

Lourenço Barclay esperou que Juliana argumentasse em sua defesa, ou que pelo menos dissesse alguma coisa. Ao constatar o silêncio da menina, desviou os olhos da estrada e encarou-a. A diabinha se acariciava por baixo da saia jeans.

Ju se virou de repente para o mar, e lá estava ele correndo em sua direção pela areia, como um príncipe (um pouco envelhecido para um príncipe), ou melhor, como um rei mesmo, em câmera lenta, dourado, sarado, seminu, carregando uma prancha, molhado da cabeça aos pés, com o rosto sério e uma determinação maligna no olhar. Só então ela percebeu que ele estivera ali o tempo todo, observando-a do mar. Ao se aproximar, ele disse: Vai embora, Satanás!

Juliana achou que era sacanagem, quem diria uma coisa dessas a sério? Se Lô Barclay fosse um pastor evangélico, tudo bem. Mas o cara era o deus dourado do mobiliário brasileiro contemporâneo! Dizendo Vai embora, Satanás! como se fosse Jesus Cristo e ela o diabo encarnado?

Continuou achando que era uma pegadinha sacana e revidou: Gostoso!

Pensava que a afirmação daria um gás e que a coisa enveredaria por uma trilha erotizante que culminaria num coito épico em alguma quebrada do Recreio. Mas sua frase teve um efeito inverso e pirou a cabeça de Lô de vez. Mal entraram no carro, ele começou a passar um sermão na garota.

Aquilo deu um tesão irresistível em Juliana e ela concluiu que seria excitante para o designer vê-la se acariciando enquanto tomava o esculacho. Mas não é que ele ficou mais bolado ainda? Freou de repente e exigiu que ela saísse do carro ali mesmo, no acostamento da Estrada do Pontal.

Que falta de humor!

Nesse momento Ju se recompôs e disse, com uma seriedade súbita, assumindo uma gravidade de que ele não a imaginava capaz (nem ela!): Provisoriamente o tempo parou para mim, Lô. Mas não ignoro as ameaças que o futuro encerra, como também não ignoro que é o meu passado que define a minha abertura para o futuro. Que espaço meu passado deixa para a minha liberdade hoje? Hein? Não sou escrava dele. O que eu sempre quis foi comunicar da maneira mais direta o sabor da minha vida. Não desejei nem desejo nada mais do que viver sem tempos mortos. Tchau!

Quando terminou seu texto solene e claramente decorado, Juliana abriu a porta e, toda dramática, saltou do carro.

Lourenço Barclay ficou por instantes de boca aberta, tentando entender aquelas palavras. Depois gritou: Calma! Volta aqui. Entra aí.

Ju hesitou, mas acabou regressando e sentou ao lado dele, sem fazer concessões às súplicas de sua xoxota, que continuava molhadíssima. Bastante compenetrado e meio deprimido, Lô dirigiu até um ponto de táxi em frente ao Fashion Mall, em São Conrado, onde deixou Juliana. Durante o percurso não trocaram palavras nem olhares. Quando Ju saiu do carro, ele perguntou em tom paternal se ela tinha dinheiro para o táxi, a que ela respondeu com um sucinto movimento afirmativo de cabeça. E assim terminou o estranho Dia D de Juliana Belletti.

55

Lô Barclay tenta entender o que acontece. Mas Luciana, sua secretária, chama-o para atender a um telefonema urgente de Stephen Grabowitch, o Grab, curador do Museu do Surfe, que liga de San Diego para cobrar os painéis de *blank*. O designer passa o resto do dia resolvendo o pepino com seus funcionários e não tem tempo de refletir com calma sobre os últimos acontecimentos.

Quando volta para casa à noite, Annabel o aguarda ansiosa e conta que foi sondada por Rubi, mulher de Sabão, para desfilar no Rio Moda Rio, o evento fashion mais bombado da cidade, exibindo uma coleção ousada de biquínis sexy para coroas descoladas. A notícia a deixa de tal forma envaidecida e eufórica que abrem uma champanhe no jantar e ela fala por horas sem parar. Lô não imaginou que um convite, ainda que circunstancial, para trabalhar numa área distinta da que Annabel se destacara no passado fosse deixá-la tão exultante.

Depois que sua mulher enfim pega no sono, Lô tenta não pensar em Juliana Belletti e nas palavras que ela proferiu em sua

Land Rover dias antes, surpreendentemente maduras para uma adolescente. Sua argumentação de que desejava viver sem tempos mortos, atribuindo ao passado um aspecto refreador da fruição da vida em sua totalidade — o que muito se aproxima dos conceitos zen a que Lô se aferra para tentar viver melhor — e sua afirmação de que apenas desejava comunicar de maneira mais direta o sabor de sua vida surpreendem-no a ponto de anulá-lo.

O sabor da vida?

O designer prefere não pensar — nem dizer — mais nada sobre o assunto. Espera que o silêncio que se impôs entre Ju e ele enquanto dava carona a ela até São Conrado seja o prenúncio do fim definitivo daquela aventura repulsiva.

O que Lô não pôde evitar pouco antes de pegar no sono, e agora, depois de meditar, surfar, ir para o ateliê e fingir que está tudo normal no fluxo incessante do *samsara*, foi pensar nas axilas depiladas de Juliana, que ele viu no momento em que ela ajeitava o cabelo com a mão esquerda, enquanto se masturbava com a direita, ou, quem sabe, tentava mostrar a ele o sabor de sua vida.

No início do ano Ana Cecília convidou uma amiga, Maria Emília Hoffmann, psicanalista que mora em Curitiba, para passar o fim de semana em sua casa. Foram dias muito instrutivos para Juliana, pois não só aprendeu alguns movimentos de boxe, que Maria Emília pratica todas as manhãs, como entendeu a importância da mentira na vida de uma mulher (além de ter decorado alguns textos de Simone de Beauvoir que lhe são bastante úteis em determinadas situações).

Ju tem quase certeza de que Maria Emília e sua mãe deram uma namorada naquele fim de semana, embora toda vez que insinue o fato Ana Cecília negue de pés juntos: O que é isso, Juliana? Que horror, diz, persignando-se. Só porque nós duas dormimos juntas? Só temos dois quartos em casa, você sabe. Onde ela iria dormir?

Não, não é porque vocês dormiram juntas, argumenta Ju, mas porque Maria Emília, apesar de dizer que odeia os homens, age como um deles.

Ah, Juliana, como você é moralista!, diz Ana Cecília com uma risadinha seguida de uma conclusão: Puxou o seu pai.

Sem falar nas duas garrafas de vinho que elas beberam no jantar. Mas o que marcou mesmo Juliana naquele fim de semana (além de ter visto e revisto o DVD pirata da montagem do monólogo *Viver sem tempos mortos*, de Simone de Beauvoir e interpretado por Fernanda Montenegro, que Maria Emília, grande fã do texto, exibia na TV da sala durante as refeições) foi a psicanalista boxeadora ter definido a mentira e a dissimulação como as armas mais eficientes que a mulher encontrou ao longo da história para se defender da opressão masculina.

Juliana sabe que é uma afirmação brutal, mas coerente com alguém que praticava boxe todas as manhãs, socando sem dó um saquinho de couro trazido na mala e pendurado no chuveiro. Maria Emília golpeava o saco com uma sequência de jabs viris e determinados, e a cada soco soltava um gemido alto, como se estivesse morrendo ou gozando muito dolorosamente. Ju ficou preocupada que algum vizinho achasse que elas estavam torturando alguém em casa ou imaginasse que o apartamento abrigava um grupo de ninfomaníacas histéricas.

No saquinho de couro que a psicanalista espancava havia uma foto em tamanho natural do rosto sorridente de Barack Obama. Quando Maria Emília percebeu o espanto da menina por vê-la socar com tanto gosto a cara de um sujeito maneiro como o Obama, alertou, ofegante: Não se iluda, Ju. Homem é tudo igual.

No *language dinner* semanal, Zé Thiago anuncia que ele e Juliana *broke up* a relação.

De quem partiu a iniciativa de terminar o namoro?, pergunta Annabel, sem disfarçar o desapontamento.

Partiu dela, diz Zé Thiago num inglês de sotaque britânico. E no mesmo inglês impecável explica que, apesar de Juliana ter tomado a decisão, ele está satisfeito, pois vinha percebendo na namorada sinais de um comportamento esquisitão.

Já estou com outras gatinhas em vista, conclui, agora caprichando na entonação irlandesa, que sempre diverte seus pais.

Pena, acho ela tão simpática e inteligente..., diz Annabel. Mas respeito a decisão de vocês.

Nesse instante Carolzinha late: fraud! fraud!

Ela está chamando a Ju de *fraud*!, exclama Zé Thiago, expressando surpresa com o sofisticado termo em inglês escolhido pela cadelinha e sua capacidade de observar em Juliana algo que ninguém na família conseguira discernir. E ainda tem gente que os censura por optarem por escolas bilíngues.

Degustando na biblioteca um pinot noir orgânico, Lô reflete sobre a questão. O fato de Juliana ter rompido com Zé Thiago o deixa satisfeito. A medida comprova que ela lhe deu ouvidos em seu último encontro e agiu no sentido de cortar os laços doentios que se insinuavam entre eles.

Antes de dormir, enquanto Annabel se exibe nua e pergunta a Lô se ele acha que ela emagreceu — está obcecada com a ideia de emagrecer desde que foi convidada para o tal desfile de biquínis —, ele continua pensando no término do namoro de Juliana e Zé Thiago.

Ei! Emagreci ou não?, insiste Annabel, de frente para o espelho, girando lentamente o corpo com os braços levantados, como se pronta para uma revista policial.

Vem aqui, deixa eu ver mais de perto, diz Lô, mostrando a ela o volume que se projeta sob a seda de seu short balinês.

O que você achou do fim do namoro do Zé Thiago?, pergunta Annabel enquanto se encaminha para a cama.

Achei normal. Ele é muito novo para se amarrar num namoro firme.

A Juliana é tão madura e inteligente! Ela fazia bem para o Zé. Ei! O que foi? Annabel sente na mão um certo desânimo sob as montanhas e os barcos a vela estampados na cuequinha balinesa de Lô: Perdeu o pique?

Realmente a conversa sobre o fim do namoro de Zé Thiago arrefece um pouco o fluxo da libido do designer.

Problemas sentimentais de filhos não são exatamente o assunto mais sexy do mundo, ele se justifica.

Ela ri enquanto arranca seu short: Eu dou um jeito nisso!

Mas não dá.

Por algum motivo, Lô brocha de novo.

Dessa vez, ao contrário daquela em que ele falhara na noite em que comemoravam seus cinquenta anos, os dois resolvem não verbalizar demais o ocorrido, para não ressaltar o desconforto que a situação naturalmente já suscita.

Desculpe, eu não devia ter falado do Zé e da Ju. Isso te desestimulou, não foi?

Annabel toma o cuidado de usar *desestimulou* em vez de *brochou*, confirmando sua sensibilidade e consideração.

Imagine. Esse namoro, ou o fim dele, não tem a menor importância pra mim. Devo estar meio estressado por causa dos painéis de *blank* do Museu do Surfe.

Você tem comido linhaça dourada?, pergunta Annabel antes de cair no sono.

Lelê dorme com Juliana. Na cama da Ju, como sempre dormem suas amigas. Ju não sabe se é porque se sente meio carente nos últimos tempos, mas acorda de madrugada e fica reparando em Lelê dormindo. Ela está deitada de lado, de costas para Ju, só de calcinha, uma calcinha muito apertada que deixa a bundinha à mostra, e a bunda dela é realmente muito bem torneadinha, como a de uma estátua, e de repente Lelê dá um tapinha na própria bunda, plaft, espantando um mosquito, mas ainda dormindo, e aquilo é tão bonito, tocante mesmo, um gesto desinteressado e desprovido de qualquer intenção que não seja afugentar o mosquito daquela carne tenra, que Juliana se aproxima do pescoço da amiga e começa a beijá-lo bem devagar. Lelê, a danada, de olhos fechados, vira o rosto para Ju e lhe oferece uma língua muito úmida e afoitinha, e… bem, as duas vão até o fim, cuidando para não fazer barulho e acordar Ana Cecília.

Não é a primeira vez que fazem isso, mas com certeza é a mais, como dizer, intensa. Ju imagina que as histórias que tem contado para Lelê sobre sua atração irresistível pelo Varão Angustiado do Design tenham lubrificado a mente da amiga com os óleos melados da fantasia.

Namorar Lelê serve para que Ju se distraia enquanto aguarda que os efeitos de sua magia se cristalizem. É certo que o silêncio dos Barclay a inquieta um pouco. Não esperava que José Thiago acatasse com tanta naturalidade o fim do namoro. Imaginava que ele fosse ligar, implorar por uma volta, espernear, chorar por ela, enviar uma mensagem apaixonada, essas coisas.

Que nada. Postou rapidinho no Face que estava solteiro e pronto.

Quer saber? Melhor assim, conclui Juliana. Iria dar trabalho se desvencilhar do ex-namorado, e agora ela não está podendo desperdiçar energia. Afinal, tudo faz parte de um estratagema: proferir monólogos de Simone de Beauvoir como se fossem seus e terminar o namoro com José Thiago deve fazer com que Lô se sinta mais instigado e desimpedido, certo?

Lourenço Barclay desperta de madrugada com a sensação de que uma espada paira sobre sua cabeça. Lembra-se vagamente de ter sonhado com o brasão da família, que seu avô guardava na garagem do bangalô na Califórnia, entre pranchas de surfe, bicicletas, halteres, equipamento de marcenaria, quadrantes, cartas náuticas e fotos de coelhinhas peitudas da *Playboy*. O brasão sempre intrigou Lô, pois mostrava um homem negro de perfil, de cabelo encarapinhado, lábios grossos e nariz proeminente, usando uma argola na orelha e uma faixa na cabeça. Aquela imagem nada tinha a ver com a ideia que o adolescente fazia da Escócia, a nação do Reino Unido que imaginava repleta de homens ruivos vestindo kilts e soprando gaitas de fole entre brumas, enquanto esperavam o momento de dar uma bicada no uísque para aquecerem suas canelas brancas e congeladas. Quando perguntou ao avô o que significava a imagem daquele homem negro — um escravo? — no brasão dos Barclay, o velho respondeu, rindo, que seus antepassados já intuíam que seus descendentes acabariam indo morar no Rio.

Já reparou como esse neguinho lembra um desses crioulos que vendem mate nas praias da zona sul?, completou vovô Barclay, indicando a figura no brasão. A premonição é um dom da nossa família.

A premonição, a arrogância e o preconceito, conclui Lô depois de se levantar e deixar que as lembranças se desvaneçam.

Vai até o quarto de Zé Thiago.

Abre a porta devagar, com o coração descompassado de um canalha inexperiente. O quarto está quase totalmente escuro, com exceção de uma luz difusa que emana da TV ligada. Zé Thiago, a despeito das recomendações dos pais, não consegue perder o hábito de dormir com a televisão ligada, de preferência num canal de esportes. A iluminação proporcionada por um jogo de basquete da NBA é bem-vinda aos propósitos inconfessáveis de Lô. Ele se aproxima em silêncio da cama em que o filho dorme. Como de hábito, sempre que vê Zé Thiago dormindo, verifica se ele está respirando. A visão de seu filho ressonando placidamente enche-o de culpa. A respiração do menino é calma e ritmada, como a de um iogue em relaxamento total. Como Lô previra, o celular de Zé Thiago repousa na mesinha de cabeceira, entre uma garrafinha de água mineral e uma biografia de Muhammad Ali. Com o peito congestionado de remorso, pega o aparelho. Busca a lista de contatos, quando sente a presença de um inquisidor na fresta da porta: Carolzinha o observa com o rabinho ereto como uma lança romana. Lô leva o dedo aos lábios, num gesto que pede silêncio para que não despertem Zé Thiago, e volta ao corredor, vigiado pelo olhar agudo da cachorrinha intrometida.

Percebe a perna bambear. Sensação estranha e desagradável, sem dúvida. Mas fazer o quê? Está em plena derrocada, não tem como mudar o curso inexorável da queda rumo aos esgotos espirituais.

Lô olha atentamente para o animal arfando a seus pés.

Às vezes ele tem a impressão de que Carol é a reencarnação de vovô Barclay.

Permanece um tempo imóvel no corredor, com a sensação de que as rodas de um trem trituram suas entranhas. Buda nunca deve ter sentido nada parecido.

No domingo, Ana Cecília e Ju vão até Niterói, cidade onde Ana Cecília morou quando era pequena.

Ana Cecília acha muito excitante atravessar a ponte e dá gritinhos, como se estivesse numa montanha-russa. Juliana tem ímpetos de abrir a porta do carro e se jogar de lá de cima, só para a mãe ter motivos para gritar de verdade.

Visitam o Caminho Niemeyer, um centro cultural em que várias obras do arquiteto se espalham por uma extensão de quilômetros à beira-mar. Quilômetros que elas percorrem a pé, sob um sol incendiário, enquanto Ana Cecília é acometida por pequenos orgasmos estéticos a cada edifício do complexo: Olha o teatro! Olha o museu! Olha as curvas! Olha os azulejos!

Juliana sente um aperto no coração, envergonhada de sentir vergonha da mãe.

Depois decidem almoçar no Seu Antônio. Têm de esperar duas horas na fila, mas Ana Cecília nem dá ouvidos às reclamações da filha, excitadíssima para traçar os famosos bolinhos de bacalhau do restaurante. Na volta para o Rio, cumprindo o azarado destino materno, um dos pneus traseiros do carro fura no meio da ponte. Ana Cecília repete a todo instante: Que aventura, hein?, enquanto dá passos largos tentando calcular os trinta metros de distância onde deve colocar o triângulo. Juliana sente peninha dela nessa hora. Homens surgem de uma van e as ajudam a trocar o pneu. Um deles arrasta olhares lânguidos para Ju, mas é jovem demais para incandescer a brasa da garota. *Me procura daqui a vinte anos*, ela tem vontade de dizer.

Já reparou, observa Juliana no caminho de volta, que sempre que estamos em perigo homens surgem magicamente para nos ajudar?

É porque eles ainda dominam o mundo, declara Ana Cecília.

Antes de dormir, ao reler, como de hábito, *O diário de Anne Frank*, que utiliza como oráculo ocasional, chama a atenção de Ju um postscriptum registrado no dia 6 de março de 1944. Nele, confessando-se ao diário, Anne se refere a Peter Van Pels, o garoto também confinado no Anexo Secreto, por quem estava apaixonada: *Você sabe que sou sempre honesta com você, por isso acho que devo contar que vivo de um encontro para o outro. Espero descobrir que ele fica louco para me ver, e fico extasiada ao perceber suas tentativas tímidas. Acho que ele gostaria de poder se expressar tão facilmente quanto eu; mal sabe que é sua falta de jeito que acho tão tocante.*

No dia seguinte, quando acorda, Ju vê a seguinte mensagem no WhatsApp: *Me encontre depois de amanhã às dez horas na praia da Macumba. Lô.*

Não é incrível?

Excitada (melhor dizendo, *excitadíssima*) e sentindo-se de certa forma conectada a Anne Frank e à irmandade das diaristas premonitórias, Ju registra em seu próprio diário um agradecimento eufórico ao provável satori budista ou à descarga tardia de testosterona que inspirou Lô Barclay a ir xeretar o celular de José Thiago em busca do telefone dela.

Ou seja lá o que ele fez para consegui-lo.

A derrocada definitiva tem início quando Lô, depois de meditar — ou de *tentar* meditar, já que está ansioso e desconcentrado — e de surfar, mal se equilibrando na prancha projetada e construída especialmente para ele por Timmy Patterson, para numa farmácia na Barra. A situação expressa bem a tragicomédia em que se transformou seu dia a dia. Ele precisa comprar camisinhas, mas evitou farmácias próximas de sua casa, no Leblon, para não passar pelo constrangimento de ser flagrado comprando preservativos pelos vendedores, que o conhecem de vista. Lô não costuma usar camisinha quando transa com Annabel, portanto o manuseio e tudo que se refere ao pequeno cilindro de látex é um mistério para ele. Mas algo o alerta de que para o encontro fatal com Juliana na praia da Macumba, naquela quarta-feira, ele talvez necessite de preservativos e até, quem sabe, de lubrificantes.

Além de todo o cinismo e a cara de pau que puder reunir.

Na farmácia, começa a encher distraidamente a pequena cesta plástica com protetores solares, aparelhos de barbear, fio dental, camisinhas, Tylenol, vaselina sólida, camisinhas e…

pastilhas Valda. Na hora de pagar, tem a impressão de que a moça do caixa o reconhece.

Lourenço Barclay não é nenhum ator de novela, mas e se a funcionária tem algum interesse em design? Ou então a moça pode estar reconhecendo seu rosto de alguma foto publicada em revistas de celebridades. No ano passado, por exemplo, uma reportagem patrocinada por uma dessas revistas o mostrou participando, junto com uma atriz famosa e um renomado chef paulista, de uma emocionante busca às trufas brancas na região do Piemonte, na Itália, guiada por cães e porcos farejadores.

Paranoia ou não, ele dá um sorriso forçado, paga a conta e sai rapidamente da farmácia, para não correr o risco de ser flagrado em sua pequena travessura.

Ou em sua grande tragédia.

Logo que Ju chega à Macumba (ela está de férias e teve de dizer à mãe que ia com Lelê e outras amigas à praia) não vê de cara a Land Rover estacionada.

A Macumba está mais cheia dessa vez, e, enquanto Ju dá uma geral, percebe o farol da carruagem do Cinderelo piscando de um canto remoto do estacionamento em frente à praia.

Hum...

Caminha decidida, entra na Land Rover e percebe no rosto barbado e meio cansado de Lô uma mistura de tensão e carinho quando ele diz: Que bom que você veio. (Caso você não se lembre, a mesma frase que Juliana disse a ele quando o encontrou ali mesmo da outra vez.)

Você não me chamou de Satanás, estamos progredindo!

Pra onde vamos?

Restinga da Marambaia.

Enquanto programa o GPS, Lô pergunta: Como é que, sendo tão branca, você conhece tantas praias?

O sol só me queima por dentro, explica Juliana, e permite que sua mãozinha patole o volume crescente sob a bermuda de cânhamo do famoso designer. Mas não é necessário, nem recomendável, entrar em detalhes tão íntimos. Digamos que Ju indicou um sentido para Lô. Você compreende, ele não tinha mesmo para onde ir.

DEZEMBRO

Lô estaciona a Kombi em frente a uma lanchonete na estrada, a Ophidia Cafeteria. A Kombi é azul, e não verde e amarela como a de seu avô, aquela na qual cruzaram a Califórnia no final dos anos 1970 em busca das melhores ondas. Ele tentou, nas agências da Hertz e da Avis que consultou em San Diego, conseguir uma Kombi verde e amarela, mas elas não existem mais, a não ser, talvez, em museus hippies ou cemitérios de automóveis no deserto. O sol agudo da manhã faz seus olhos arderem enquanto é inundado por uma emoção inédita: ele não ingere carne bovina há trinta anos.

No dia anterior, depois de deixar San Diego de manhã e dirigir o dia inteiro, ele havia passado por Tucson quando o sol começou a desabar, inundando de ocre-alaranjado a imensidão. Parou por um momento à beira da estrada, num aclive. Dali viu a base aérea de Davis-Monthan, o maior cemitério de aviões do mundo. A temperatura era agradável, mas o vento frio prenunciava a noite que se avultava à frente como uma chapa infinita de aço corten. Lourenço Barclay decidiu então caminhar na escuridão, só para ver aonde o vazio o conduziria.

77

* * *

A Dorian Paskowitz o deserto revelou o surfe.

A Jesus Cristo, a tentação de ser um homem comum, livre do fardo a que se impunha.

A Lourenço Barclay, apenas vontade de comer um hambúrguer.

Desfeito da ilusão purificadora do espírito, Lô se dissolve na concretude mórbida da carne. Suas questões agora se resumem a encontrar um hambúrguer no deserto.

Enquanto caminha até a cafeteria, vê de relance uma moça vestida de preto esgueirar-se atrás de pedras, mas acha que deve ser uma miragem. Lembra dos livros de Carlos Castaneda que leu na adolescência e constata o quanto foi ludibriado por charlatães místicos a vida inteira.

Na cafeteria Lô crava os dentes na carne morta. Seu nariz absorve os odores pútridos e a boca os sumos sangrentos. Sente-se revigorado pelo sabor e pelo aroma da morte, como o guerreiro que devora o coração do inimigo vencido.

Juliana Belletti mudou.

Espera que as amigas não a sacaneiem. Algumas experiências transformam a gente, justifica-se.

Ela não poderia passar a vida inteira como uma *petite femme fatale*.

Depois daquela primeira transa na restinga de Marambaia, Lourenço Barclay se apaixonou pelas axilas dela.

Simples assim.

Toda vez que transam, um pouco antes de gozar ele implora que ela levante o braço, e primeiro ele funga ali, depois lambe e por fim suga obsessivamente os sovacos dela. Ju é peluda na xoxota, mas raspa com muito esmero os pelos debaixo do braço. Isso enlouquece Lô. Ao lamber as axilas de Ju, ele sente na língua a textura aguda dos pelinhos raspados que o ejetam aos píncaros desconhecidos da luxúria, a lugares a que a meditação, a ioga e a vagina tântrica de Annabel Barclay nunca o conduziram. Muitas vezes, mesmo depois de gozar, ele permanece um tempo fungando as axilas de Juliana como um porco farejador de trufas (a definição, sofisticada demais para os padrões da adolescente, é *dele*). Sem contar quando decide ejacular no sovaco da garota (livre da camisinha, com a qual não demonstra familiaridade) depois de friccionar enlouquecidamente sua pica na cavidade axilar dela, grunhindo como um javali selvagem, ou nas vezes em que ordena que Ju sugue o sêmen de sua vara enquanto prospecta com o nariz a bocetinha peluda.

Juliana desconfia que essa fixação se explica pelo aroma primaveril de seus hormônios adolescentes.

Os encontros entre os dois não têm sido constantes, claro, devido ao óbvio teor delicado do relacionamento deles. Para não despertar a perigosa desconfiança de Ana Cecília, Lelê serve de alcoviteira oficial e dissimuladora profissional, acobertando e protegendo Juliana sempre que necessário. Em média, Ju e Lô têm se visto uma vez a cada duas semanas nos últimos meses. Sempre com muito cuidado, de manhã, em praias desertas, dentro da Land Rover, que se transforma em seu parque de diversões, embora com medidas de uma minúscula nave espacial russa dos anos 1960. Algumas vezes, lá dentro, eles experimentam uma sensação de gravidade zero e sentem-se flutuar. Em outras ocasiões, quase sofrem deslocamentos cervicais e rompimentos musculares por conta das manobras complexas que a paixão de Lô pelas axilas de Ju impõe.

Ao dissertar sobre a situação em seu diário, Juliana sente uma vertigem, como uma heroína definhada de romance do século XIX, imaginando ela e Lô juntos num futuro improvável, viajando pelo mundo e até, quem sabe, originando em seu ventre um fruto bendito, um meio-irmãozinho para José Thiago.

Pirei?, pergunta-se.

Antes, sempre que reservavam assentos em voos internacionais, Annabel e Lô solicitavam cardápios vegetarianos. Agora, na viagem de volta ao Rio, ele degusta com reverência uma carne insossa e excessivamente passada, com aspecto de sola de sapato queimada, misturada a um arroz fino e seco em forma de ova de formiga com sabor de plástico gelado.

Lourenço Barclay enfim compreendeu o ritual da decomposição e sente-se feliz por submeter-se a ele como qualquer um, sem precisar se proteger da vida como se fosse alguém especial a quem ela particularmente ameaçasse.

No início da viagem Lô estranhou a ausência de Annabel, que havia decidido ficar no Rio, ocupadíssima com os ensaios para o desfile da coleção de biquínis sexy para coroas descoladas. Melhor assim, concluiu ele mais tarde. Se ela o acompanhasse, Lô não teria conseguido se concentrar em suas buscas e divagações.

Ele observa pela janela do avião o imenso deserto da Califórnia. Como pôde passar tanto tempo no mar, se é no deserto que se encontram as respostas?

Pouco antes de embarcar para San Diego, Lô foi procurar Tavinho Sabão num de seus restaurantes de comida peruana no centro do Rio de Janeiro. Encontrou-o numa mesa de canto, no meio da tarde, depois que o restaurante já tinha fechado para o almoço e estava praticamente vazio, a não ser por alguns garçons que preparavam as mesas para o jantar.

E aí, campeão, disse o ex-surfista depois que um garçom depositou duas xícaras de café na mesa. O que tá pegando?

Naquele instante Lourenço Barclay compreendeu que nunca teve um amigo. Tudo de que precisava era de alguém com quem se abrir a respeito das coisas estranhas pelas quais andava passando. No entanto, ter que fazer de Sabão seu confidente de uma hora para a outra não seria tarefa fácil. Não se conquista um amigo só por desejar ter um. A princípio Lô não disse nada, simplesmente tomou um gole de café em vez de responder ao questionamento profundo de Sabão. Notando o embaraço de Lô, o ex-surfista tentou outra abordagem: E a inauguração do Museu do Surfe? Ouvi dizer que o Tom Curren vai discursar. Tá levando a prancha?

Engraçado, disse Lô, ando meio assim com o surfe.

Tavinho Sabão cruzou os braços: Parou de pegar onda, cara? Assim você vai acabar como o Jackson Calhau. Surfista internado por problemas psiquiátricos é uma coisa que não faz sentido pra mim, prosseguiu. Abandonar o surfe pode ser muito perigoso.

Não se trata de abandonar o surfe, justificou-se Lô. Acho que estou... mudando.

Não tente me enrolar, Barclay! O negócio com a boceta é calcular direito a dimensão.

Que boceta?

A que está te assombrando. O tamanho, Barclay! Qual o tamanho da boceta?

Lô ficou mudo.

Eu sei que tem boceta na parada, Lô. Qual o tamanho?

Minúscula.

Em que sentido? De não ter importância pra você? É uma boceta de importância diminuta? Ou é uma bocetinha pequena de tamanho mesmo?

Não, é uma boceta menor de idade.

Sabão deu um tapa na mesa e exibiu dentes ameaçadores de mamífero semiaquático psicopata: Tá comendo uma menor de idade, Barclay?

Menor de idade, mas muito peluda.

Quantos anos?

Fala baixo, Gustavo!

Quantos aninhos?, insistiu, num grunhido meio nojento, sussurrante.

Quinze… quase dezesseis.

Peluda?

Lô aquiesceu.

Caraaaalho! Sabão estendeu os braços na direção do amigo: Grande Barclay. Grande Barclay.

Pela primeira vez o designer sentiu que despertara a admiração de Tavinho Sabão.

A aeromoça recolhe o prato vazio.

Lô olha pela janela, mas escureceu e ele não consegue mais ver o deserto.

83

Lelê almoça na casa de Juliana. Depois de comer, vão até o quarto da Ju, que bota uma fronha na cabeça e mostra para a amiga o sudário que está bordando.

Que é isso?

O pau do Lô.

É grande assim?

Está um pouco idealizado.

E essa fronha na cabeça?

Sou a Penélope.

Penélope Charmosa?

Ju explica à amiga que na mitologia grega Penélope é a mulher de Ulisses, que espera anos pela volta dele numa praia de Ítaca, bordando um sudário durante o dia, que ela desfaz à noite, pois havia prometido ao pai só se casar com outro homem assim que terminasse de tecê-lo. Explica também que sudário, nos tempos antigos, era um pano ou para limpar o suor, ou usado como mortalha. Depois tem de esclarecer que mortalha era um lençol para envolver cadáveres que iam ser sepultados. Ju espera que Lelê saiba o que é um cadáver.

Quando ele volta?

Não sei. A gente não se comunica muito.

Mas a inauguração do Museu do Surfe já rolou, vi na internet. O Kelly Slater estava lá. Gaaaaato. Você pegava?

Não trabalho com hipóteses.

Ju! Eu sou mega-hipotética!

O Lô me disse que talvez passe alguns dias no deserto.

Fazendo o quê?

Buscando o sentido da vida.

Achei que ele encontrava isso no teu sovaco.

Ele precisa de espaços maiores.

Pra quê?

Sei lá.

Meditar?

Por que tanta pergunta? Meditar, ejacular, como eu vou saber?

Você disse que ele não estava mais meditando.

Mas continua ejaculando, o que é mais importante.

Ju! Ele não foi pro deserto só pra bater uma punheta, foi?

Lelê, ele foi refletir. Se transformar. Coisa séria, de adulto. Tipo renascer pra outra vida.

Ele vai se matar?

Metaforicamente.

Uma coisa assim espírita?

Não exatamente.

Budista?

Pós-budista. O que é isso? Um quiz? Prova oral?

Você está estranha, Ju.

Preocupada. Acho que nosso caso está miando.

O que você queria? Casar com o Lô? Se toca. O cara tem idade pra ser seu avô.

Tio-avô.

Esse style Penélope grega não combina com você.

Tô bolada. Meio insegura. Deve ser a idade.

Deixa de ser ridícula. Você já curtiu pra caramba. Fez um curso avançado de sexo xx rated, agora relaxa, volta pra sua realidade. Esse caso não tem futuro, arruma um garoto da sua idade. Esse cara é muito velho! Onde já se viu ficar roçando o pau no sovaco?

Esfregar o pênis na axila de alguém é coisa de velho?

Você fica engraçada falando *axila*, Ju! *Axila*. Palavra bizarra.

É coisa de velho, por acaso?

O quê?

Esfregar o pênis na axila.

Pênis é hilário.

É coisa de velho?

Pior. Deve ser coisa de pós-budista. Nunca nenhum namorado quis comer o meu sovaco.

Ué? O problema dele é ser velho ou é ser pós-budista? Tá faltando coerência no seu discurso, Lelê.

Não me enrola!

Você não entende a complexidade desse fato, Lelê.

Que fato?

Ele ter tesão nas minhas axilas.

Menos, Ju.

Preciso entender o que acontece, amiga! Se for pra desencanar, eu desencano. Mas ele precisa me falar. Nem sei se o Lô já voltou dos Estados Unidos. Ele me proíbe de mandar mensagens. Tenho que esperar ele me mandar uma.

Proíbe?

Modo de dizer. Não quero complicar a vida do Lô. Além do mais, ele quase não usa celular.

É nisso que dá gostar de velho.

Você vai me fazer um favor, Lelê.

Mais um?

Você é minha amiga ou não é?

(Lelê dá um selinho em Juliana para comprovar.)

Fica de olho no apê dos Barclay, no Leblon. Só pra saber se ele já voltou.

Pra você não ficar bordando essa piroca o resto da vida.

Isso.

Pra você vazar de Ítaca.

Perfeito. Sabe o prédio, né? Aquele com a escultura de uma prancha vermelha gigante no jardim.

Foi ele que fez a escultura?

Só tem uma coisa que deixa o Lô mais tarado do que o meu sovaco.

Velho boçal.

Nesse momento Ana Cecília entra no quarto, chegou mais cedo do trabalho. Rapidamente, Juliana empurra o sudário para baixo do travesseiro.

Quem é *velho boçal*?

Nosso professor de química, disfarça Lelê. E não é mentira.

Precisamos marcar mais uma daquelas sessões de arremesso de facas, diz Ana Cecília.

Já é, concorda Lelê. Tenho praticado em casa.

Jura? Com facas de cozinha?, pergunta Juliana.

Eu *comprei* facas de arremesso, engraçadinha.

Pela internet?, pergunta Ana Cecília.

Existe outro lugar pra comprar esse tipo de coisa?, questiona Lelê, e ela está sendo sincera.

Você é tão ingênua…, diz Ana Cecília, passando a mão na cabeça de Lelê. A questão é: temos de deixar de ser alvo para nos tornar atiradoras. Que fronha é essa na cabeça, Ju?

Não lembra?

O quê?

Era um costume da Anne Frank, uma coisa que ela fazia no Anexo Secreto pra matar o tempo.

A Anne Frank botava uma fronha na cabeça para matar o tempo?

É.

Ah, eu não lembrava disso, Juliana. Li *O diário de Anne Frank* há muitos anos.

Talvez você não tenha lido com a devida atenção, observa Ju, e tira a fronha da cabeça.

De madrugada, Tavinho Sabão acorda de um pesadelo em que o surfista Pepê surge careca entre folhagens de uma selva oriental, estende o braço e, ao abrir o punho, revela um besouro brilhante.

No fim da tarde, dirigindo seu Mitsubishi amarelo pela avenida do Pepê, Sabão acende um baseado e lembra do sonho com o mítico surfista que deu nome àquela avenida da Barra da Tijuca.

É trágico que Pepê tenha morrido ao despencar com uma asa-delta no Japão, num dia de ventos traiçoeiros que o conduziram a um paredão de pedra no percurso entre Wakayama e Kushimoto.

Surfistas não deveriam jamais abandonar o mar, pensa Tavinho, livrando-se da fumaça de tetraidrocanabinol numa longa e meditativa expiração.

Em 1991, Pepê, que trocara as ondas pelas graças do vento e tentava o bicampeonato no Mundial de Voo Livre, foi perdendo altitude em sua asa-delta até se deparar com uma rocha. O piloto australiano Steve Blenkinsop, que disputava com o brasileiro a primeira colocação no campeonato, fez um pouso forçado e tentou ajudar o companheiro. Muito ferido, Pepê chamou a esposa e os dois filhos antes que a consciência o abandonasse. Duas horas depois, quando o helicóptero de resgate conseguiu chegar ao local de acesso quase impossível, entre copas de árvores vergastadas por ventos indomáveis, já era tarde.

Pedro Paulo Guise Carneiro, pensa Sabão, o Pepê, o carismático brasileiro de dezenove anos que surpreendeu com sua ousadia o mundo do surfe no Pipe Masters, o torneio que em 1976 reuniu os dezoito melhores surfistas do planeta no Havaí.

Alguém faz ideia do que era o surfe *profissional* brasileiro em 1976?

Pepê, o garoto de cabelo longo e descolorido como o de um duende, surgindo magicamente de uma antiga polaroide entre folhagens e pranchas de surfe.

Pepê, o mais destemido surfista da geração pioneira dos anos 1970, a estirpe heroica de Rico de Souza, Ricardo Bocão, Daniel Friedmann, Paulo Proença e Betão Marques.

Por que Pepê aparecera a Tavinho Sabão num sonho, com o cabelo raspado e segurando um besouro?

E por que não há mais surfistas com cabelo louro e descolorido?

O que explica que surfistas contemporâneos tenham cabelo curto como o de fuzileiros navais?

O que houve com todos aqueles longos cabelos dourados como plantações de trigo ondulando ao vento?

Sabão, nostálgico, dá a última tragada em seu proustiano baseado, agora reduzido a uma ponta quente e resinosa de sabor amargo.

Será que Pepê está tentando lhe dizer alguma coisa?

Tavinho Sabão sente um arrepio. Decide voltar para casa, numa intuição. As coisas se tornaram estranhas nas últimas semanas.

Ao chegar a seu condomínio, tem a impressão de ver a Land Rover de Lô Barclay saindo pela cancela eletrônica.

A visão do carro de Lô preocupa o ex-surfista. Não se sente preparado para encarar o designer. Coisas estranhas têm acontecido desde o último encontro deles, antes que Lô viajasse para a Califórnia.

Quando entra em casa, depois de ter rolado na grama com o rottweiler Rabbit, Sabão pergunta a Rubi se Lourenço Barclay esteve ali.

Ele não está em San Diego?, diz a garota com adorável sotaque catarinense.

Ia voltar esses dias. Acho que vi a Land Rover dele saindo aqui do condomínio.

Deve ter sido outra Land Rover.

Estou meio confuso hoje.

Muita maconha?

Um sonho. Ou um pesadelo, depende da interpretação. Uma revelação, talvez. Sonhei que o Pepê estava careca e me mostrava um besouro.

Pepê?

Pepê, o surfista.

Ele não morreu?

Há mais de vinte e cinco anos.

Besouros, explica Rubi, são o símbolo da morte e do renascimento na mitologia egípcia.

Como você sabe?

Fui uma besoura em outra encarnação. Vivi numa pirâmide, caminhando sobre a tumba de Ramsés iii.

Você está sem calcinha?, pergunta Sabão, intrigado ao constatar que a mulher não está vestindo nada sob a canga estampada com motivos havaianos.

No dia em que regressa ao Rio, Lô convida o filho para almoçar fora. Zé Thiago estranha a proposta num dia de semana, mas como Lô diz que tem algo importante — *importantíssimo* — a revelar, topa o convite. Imagina que o pai o levará a um dos restaurantes em que costumam comer, invariavelmente ou de comida natural, ou de comida japonesa, ou uma cantina mediterrânea, todos localizados na mesma rua do Leblon, próxima de onde moram. Fica surpreso quando Lô afirma que irão de carro e não a pé.

Como o Mini Cooper de Annabel está na revisão e ela saiu com a Land Rover de Lô, optam por ir de Uber. Quando descem do carro em frente a um restaurante na marina da Glória, Zé Thiago arregala os olhos: Nós vamos comer *aqui?*

O pai concorda.

Ainda bem que a mamãe não veio.

A ausência de Annabel foi providencial. Lô chegou de surpresa, havia antecipado o voo sem avisá-la, e sua mulher não o aguardava. Se estivesse em casa, talvez Lô não tivesse coragem de convidá-la para aquele almoço.

Antes ele teria de revelar seu segredo.

Pai e filho se dirigem ao amplo salão do restaurante, em que a baía de Guanabara se projeta luminosa pelas paredes de vidro.

Logo que sentam, Lô se surpreende com a familiaridade com que o filho lida com a situação, como se já conhecesse os rituais praticados por garçons insistentes que a cada minuto abordam a dupla com diferentes cortes de carne sangrenta em espetos que lembram ao designer espadas de anacrônicos cruzados.

O que você queria me contar?, pergunta Zé Thiago.

Depois de um breve silêncio, Lourenço Barclay responde: Isto.

O quê?

Agora eu como carne.

Finalmente.

Como assim *finalmente*?

Eu como carne há anos, confessa Zé Thiago. Adoro.

E comprova a afirmação enchendo a boca com um pedaço gorduroso de ancho argentino que o garçom acabara de depositar em seu prato.

E brigadeiros, prossegue, com as bochechas arredondadas. Bolos de chocolate, sorvetes. Cupcakes.

E onde você come essas coisas?

Na escola, na casa dos meus amigos, no shopping. *Everywhere*.

E você sempre escondeu isso de mim e da Annabel?

De você. A mamãe já sabia, mas me pediu pra esconder de você.

Por quê?

Porque a informação pode ser muito chocante para o Lô, elucida, numa caricatura perfeita do modo de falar da mãe.

A Annabel também come carne?, pergunta Lô, que estranha o tom tremulante de sua própria voz.

Zé Thiago hesita por um momento.

Raramente. Quando você não está em casa, às vezes comemos esfirra, rissole. Carne de porco ela não come.

Lô recusa um naco de carne oferecido por um garçom num espeto reluzente de gordura. Ele foi até ali fazer uma revelação e acabou surpreendido pela *mesma* revelação proferida pelo filho.

Situação estranha.

Não acredito que você não vai comer o cupim, afirma Zé Thiago, arrancando o pai de mais um de seus redemoinhos existenciais. *The best one.*

Lourenço Barclay pede que o garçom desconsidere sua recusa e o sirva de cupim, a enigmática e gordurosa parte do boi batizada com o nome de um inseto que come madeira. Zé Thiago começa a aplaudir e, por um momento, clientes e garçons desviam os olhos na direção da dupla, imaginando que comemoram o aniversário de Lô. Alguns aplaudem também.

Ao ingerir a carne, Lô regala-se com os sucos calóricos que escorrem por sua garganta como um elixir rejuvenescedor. Experimenta ali um momento de grande satisfação, não sabe se proporcionado pelo sabor intenso do cupim — que lembra a ele o gosto de urina — ou pela grata constatação de que seu filho não é trouxa como ele.

Vocês têm carne de porco?, pergunta Lourenço Barclay a um garçom, subitamente sequioso de proteínas suínas, e sente o olhar admirado de Zé Thiago cravar-se nele como se fosse um espeto de churrasco.

Ju decide ir até o shopping com o mesmo espírito de alguém que vai ao zoológico.

O que tanto essa galera faz andando pra lá e pra cá como refugiados ao sabor das ondas num barco de borracha?

O que há de tão revelador atrás das vitrines?

Juliana Belletti é uma desiludida irremediável.

Ela vê de longe um garoto vestindo uma jaqueta do San Diego Aztecs.

San Diego não é a cidade onde o Lô está?

Mais uma dessas coincidências idiotas que não querem dizer nada, pensa.

Mas, quando olha melhor, percebe que o garoto acena para ela.

José Thiago!

Faz tempo que não se veem. Ele está bonito e muito simpático. Nada como *não* namorar uma pessoa para ela se tornar atraente.

Juliana fala que a jaqueta dele é foda.

Meu pai me deu. Ele acabou de chegar de San Diego.

É? Chegou de San Diego? Tava fazendo o que lá?

Foi na inauguração do Museu do Surfe.

Museu do Surfe, que interessante...

Ele projetou uns painéis de *blank* maneirões para o saguão de entrada do museu.

Painéis em forma de prancha?

Painéis que parecem ondas em forma de pranchas quebradas. Que outra forma as ondas poderiam ter na cabeça do meu pai? Você acha que ele seria convidado pra projetar painéis pro Museu do Surfe se não fosse um *freak* que só vê pranchas de surfe em tudo que olha? Mas ele está mudando.

Tipo?

Agora ele come carne.

Não acredito! (Não acreditou mesmo.)

Nem eu. Até uma hora atrás, no almoço, depois de ver ele se entupir numa churrascaria e sair de lá com cara de quem está meditando. Até linguiça ele comeu.

Pensando bem, até que dá pra notar uma semelhança entre uma linguiça e uma prancha de surfe. Daquelas antigonas.

Acho que não é por aí. É como se ele estivesse, tipo, trocando *surfboard* por *sausage*, entende? Você lembra da cara dele depois que ele meditava?

Mais ou menos.

Depois que ele comeu cupim parecia alguém saindo de uma sessão de massagem aiurvédica.

Melhor comer cupim do que capim, certo?

Às vezes tenho pena do meu pai.

Achei que você tinha raiva.

Ele é um iludido, Ju. Pensa que eu sou um aluno excepcional e um grande atleta, acredita que ninguém em casa come carne e tem certeza de que a vida faz algum sentido. Ele vive como um cego.

Ah, Zé, um pouco de ilusão e bisteca de porco não fazem mal a ninguém, filosofa Juliana. A frase, que ela acha um pouco estúpida, põe um ponto-final no diálogo desestabilizador, através do qual ela teve a confirmação de que Lô havia chegado de viagem e não a tinha procurado.

Os dois se despedem.

Então agora Lô Barclay, o puro, come carne vermelha?

Não apenas come, mas se empapuça dela em churrascarias rodízio?

Que ela (com a ajuda de suas axilas) seja a catalisadora dessa mudança muito a orgulha; o problema é que se sente como uma prancha de *bodyboard* pendurada na parede.

E ele não vai mandar uma mensagem avisando que já voltou, cacete?

Lá está Lelê, trancada em seu quarto, imaginando as peripécias da avó para chegar ao Brasil depois de perder os pais e o irmão em campos de concentração nazistas.

Foi vovó Eva quem a presenteou com *O diário de Anne Frank* logo que Lelê aprendeu a ler. E a avó sempre diz que talvez tenha se encontrado com Anne em Bergen-Belsen, já que as duas provavelmente habitaram o campo de concentração no mesmo período (em algumas versões mais recentes de sua história, que os familiares reputam à demência, Eva Plotz lembra-se com nitidez de pular amarelinha com as irmãs Anne e Margot Frank, ambas muito "falantes e inteligentes").

Lelê retira *O diário de Anne Frank* de sua estante.

Por que nunca conseguiu ler *O diário* com interesse?

Que traiçoeira manobra do destino a levou a achá-lo chato e deprimente, de leitura quase intransponível?

E por que Ju se identificou tanto com *O diário*, a ponto de fazer dele seu livro de cabeceira e oráculo preferencial?

Se foi a própria Lelê quem apresentou Anne Frank a Juliana, era ela, Lelê, quem deveria se identificar com Anne Frank, certo?

Afinal foi a *sua* avó quem pulou amarelinha com as irmãs Anne e Margot Frank num campo de concentração na Alemanha nazista!

O céu e o mar azul de Ipanema invadem o quarto pela janela. Não fosse pelo ar-condicionado, Lelê estaria assando com o calor que faz lá fora.

Uma ideia estranha brota em sua cabeça.

Ela apoia sobre uma cadeira a edição do *Diário* que traz a foto sorridente de Anne Frank na capa. Pega debaixo da cama a caixa onde esconde as facas de arremesso Rambo 2, compradas pela internet. Depois posiciona-se ajoelhada sobre a cama, a uma distância de dois metros do livro, e começa a fazer pontaria.

Lelê se lembra de Ana Cecília Belletti a instigando a arremessar facas contra a foto da madre Teresa de Calcutá.

Se deu certo com a madre Teresa, pensa, talvez funcione também com a Anne Frank.

Lelê se concentra, mas a imagem sorridente e inocente de Anne Frank olhando para ela com compaixão (e inteligência!) a desencoraja a arremessar a Rambo 2.

Lelê larga a faca e corre até sua mesa de estudo (estudo? de quê? chats de WhatsApp?). Abre uma gaveta e procura pelas fotos da festa de formatura da escola no ano passado. Ao encontrá-las, Lelê separa a foto de Juliana e a apoia na capa do *Diário*, tapando o rosto de Anne Frank. Posiciona-se novamente na cama e, agora sim, a Rambo 2 é arremessada com determinação, ausência de dúvidas, prazer inconfessável e uma intrigante sensação de alívio.

Que sorrisinho cínico tem a Ju, conclui Lelê logo que a ponta da faca atinge a testa pálida de sua melhor amiga.

Annabel chega em casa ao anoitecer e leva um susto ao saber que Lô tinha voltado de viagem.

Por que não me avisou?

Quis fazer uma surpresa.

Eles se abraçam, mas Lô sente o corpo da esposa tenso, como se resistisse a seu contato. Estranhará os aromas de carne bovina que o organismo do marido certamente exala?

Quer um suco verde?, ela pergunta, desvencilhando-se do abraço.

Agora não.

Lô senta na cama do casal.

Preciso tomar um banho, diz Annabel, entrando no banheiro sem fechar a porta.

Provavelmente intui que o corpo de Lô excreta impurezas e sente necessidade de se purificar. Ou assim ele conclui.

Precisamos conversar.

Hein?, diz Annabel enquanto liga a ducha.

Precisamos conversar, repete Lô.

Conversar o quê?

Eu soube de umas coisas.

Ela surge nua à porta. A água corre ruidosamente no boxe do chuveiro, dando a impressão de que uma cachoeira irrompeu do teto do banheiro.

Que coisas?

Annabel tem o semblante tenso, quase pálido. Seu corpo cobre-se apenas de suas longas madeixas grisalhas.

Coisas reveladoras a seu respeito. Coisas que me surpreenderam.

O rosto de Annabel se contorce, como se estivesse prestes a chorar: Como você ficou sabendo?

Me contaram.

Eu ia te contar, juro!

Eu sei, Annabel, não existem segredos entre nós.

A frase é falsa, claro. Mas tirando o detalhe de Lourenço Barclay manter por meses um relacionamento sexual com uma menina de quinze anos, ex-namorada de seu filho, e de agora comer carne vermelha, não há nada a seu respeito que Annabel não saiba.

Quem te contou?

Não posso revelar, afirma Lô, protegendo a privacidade de Zé Thiago e se divertindo com a situação.

Você andava ausente, sem interesse por mim. E agora essa viagem.

Não entendo o que a minha ausência tem a ver com esse segredo.

Você podia não aceitar. Sei que é um homem diferente, que somos cúmplices, mas uma coisa assim… Quem te contou? Foi *ele*?

Quem mais seria?

Era para ser um segredo.

Não precisa levar tão a sério. Acontece.

Jura? Você não está chateado?

Por que estaria?

Você é um homem evoluído, Lô.

Ela caminha até a cama, puxa o marido pela mão e o abraça.

Agora seu corpo nu adere completamente ao de Lô.

Não está chateado mesmo?

Claro que não! Desde quando isso está rolando?

É recente.

Lô nota que os olhos de Annabel se negam a encará-lo.

Desde que você viajou.

A afirmação de Annabel acende um alarme na mente de Lô, como quando decidia dropar uma onda maior e mais violenta do que previa. De repente a conversa não está mais tão divertida. Lô percebe que talvez esteja ocorrendo um mal-entendido ali. Sua mulher obviamente não está falando sobre ter passado a comer carne vermelha... Hora de saltar da onda enquanto é tempo, conclui Lourenço Barclay, com o discernimento agudo de um surfista amarelão.

O que teremos pro jantar?, ele desconversa, desvencilhando-se do abraço de Annabel.

Ana Cecília entra no quarto de Juliana carregando o estojo de madrepérola: Vamos dar umas facadas no fim de semana? Chama a Lelê pra ir com a gente.

A Lelê sumiu.

Pra vocês, se a pessoa não está na internet, é como se não existisse. Ela vai aparecer. Quer me ajudar a ajustar os punhais?

Juliana não tem como negar o pedido.

Vão até o quarto de Ana Cecília, que abre as gavetas do armário em que guarda o equipamento de cutelaria (alvos, óleos, pedra de afiação). Distribui tudo sobre a cama, começa a afiar um dos punhais e incumbe a filha de passar óleo nas lâminas afiadas.

Quando Ju estica o braço para pegar uma flanela na parte de cima do armário, a mãe pergunta: O que é isso?

Ana Cecília acaba de descobrir os vergões roxos que as chupadas de Lô deixaram nas axilas da filha. As manchas permanecem depois de semanas, como lacres de cera.

Isso o quê?, diz Ju, tentando disfarçar. Não poderia confessar que são simples marcas de uma paixão cinematográfica.

Essas manchas embaixo do seu braço. Levanta o braço, Juliana! Os dois!

Ah, isso. Acho que é uma irritação. Não é nada.

Como não é nada? Está tudo roxo! Dos dois lados. Vamos marcar um médico? Faz tempo que você não vai ao médico.

Não precisa, mãe. Deve ser uma irritação. Nem está coçando.

Ana Cecília examina cuidadosamente as axilas de Juliana: Estranho.

Não é nada, mãe, insiste a menina, e trata de lustrar a lâmina do punhal com esmero inédito. Vamos para Mangaratiba então?, pergunta, para mudar de assunto. Na sexta ou no sábado?

Quando você e a Lelê preferirem.

Preciso encontrar a maluca. Já mandei várias mensagens e ela não me respondeu.

Talvez o celular dela esteja descarregado. Já pensou nessa possibilidade?

Nesse instante escutam o sinal que anuncia a chegada de mensagens no celular de Juliana.

Falando no diabo, diz Ana Cecília.

Ju corre até o quarto e pega o celular. Não era o diabo.

Trancado no banheiro, Lô acaba de enviar uma mensagem a Juliana, combinando um encontro dali a dois dias na praia da Macumba.

Não sabe quais são as expectativas de Ju, mas na cabeça dele as coisas estão muito claras.

Por falar em cabeça, olhando-se em seu sofisticado espelho Saint-Gobain, Lô sente um desânimo enorme ao mirar sua basta e excessivamente negra cabeleira, que não combina muito com um homem de cinquenta anos, como se ele usasse peruca ou tingisse os cabelos. Além disso, a barba rala e grisalha metodicamente aparada expressa uma vaidade que lhe parece indigna.

A imagem que vê no espelho não condiz com seus atuais anseios. Nem o espelho em si, que de repente lhe parece afetado e kitsch, como a peruca do Rei Sol ou a cabeleira de Brian May.

De repente, Lourenço Barclay tem um insight.

Mais um.

Com a ajuda e o incentivo exagerado de Annabel — de cujo excesso de carinho e solicitude anda bastante desconfiado desde a estranha e reveladora conversa antes do jantar — e sob o olhar reprovador de Carol, que não para de rosnar nem por um minuto, ele raspa o cabelo e a barba, como se buscasse uma espécie de essência.

Olhando-se fixamente no espelho, por um momento Lô encontra semelhança entre seu crânio despelado e uma poltrona de madeira de Zanine Caldas, o arquiteto e designer baiano de quem era fã nos tempos de faculdade.

Em que você está pensando?, pergunta Annabel, varrendo os cachos negros dele espalhados pelo chão.

No Zanine.

No Zanine?

Sim. Por que você está rindo?

Com tanta coisa pra pensar, e você aí careca e de boca aberta no espelho, pensando no Zanine Caldas.

E no que eu deveria pensar?

Não sei. Eu estava pensando em campos de concentração.

Por quê?

Os tufos de cabelo.

De manhã Zé Thiago contempla a praia pela janela de seu quarto.

Nunca compreendeu o intuito de todas aquelas pessoas amontoadas na areia, dessorando aos raios cancerígenos do sol inclemente. A paixão do pai pelo surfe sempre lhe foi indecifrável. Ainda que Lô esteja num óbvio processo de transformação, Zé Thiago continua não entendendo a cabeça do pai — nem mesmo agora, depois de raspada —, que confessou estar trocando a paixão do mar pela do deserto.

Tudo bem, as praias são desconfortáveis e o surfe é maçante, mas o deserto?

Consegue ser ainda pior e mais desprovido de sentido.

Além de quente e árido, absolutamente inútil.

E que ideia ridícula foi essa de raspar a cabeça depois de se empanturrar de carne numa churrascaria no almoço?

Será que o pai está pirando?

Há relatos de psicopatias variadas entre os Barclay de todas as gerações, a começar por seu excêntrico bisavô surfista que havia morrido na Califórnia.

What a mess, pensa Zé Thiago, e de repente isso lhe parece estúpido e insuportável. Por que não consegue formular seus pensamentos numa língua só, como qualquer ser normal? Por que os pais o obrigaram a essa enervante dualidade linguística, que faz com que ele viva traduzindo frases do inglês para o português e vice-versa, tornando o simples ato de falar mais cansativo e complexo para ele?

Language dinners, pensa. Que babaquice.

Se ele ainda tivesse alguma aspiração a ser um desses tradutores simultâneos que se veem na televisão na noite do Oscar ou na posse de presidentes norte-americanos, vá lá.

Mas não é nada disso que ele projeta para seu futuro.

Aliás, não tem nada em mente.

Nothing.

What a fucking mess, repete para si mesmo, e olha pela janela o sol incandescente que lhe inspira um desejo irresistível de voar na direção dele.

Mas lhe faltam as *fucking wings*.

Decide dar uma volta na rua, na esperança de que o calor derreta um dos polos de seu cérebro e ele consiga, finalmente, pensar numa língua só.

Depois do breakfast, Annabel se despede dizendo que vai malhar.

Lô desce em disparada pela escada de seu edifício, chega ao térreo saltando de dois em dois degraus, pega um táxi na rua e pede que o motorista aguarde a saída da Land Rover, que logo desponta no portão da garagem. Então diz ao motorista que siga o carro. Agora que está careca, Lô calcula que não será reconhecido por populares — pelo menos não de imediato — em alguma possível situação constrangedora.

Sua atitude precipitada se explica: a conversa dúbia com a esposa na noite anterior criou dúvidas agudas em Lô, e ele sente necessidade de esclarecê-las.

Enquanto o táxi segue o carro dirigido por Annabel pelo elevado novo do Joá, Lô contempla a imensidão móvel do mar. Ele sente o sopro frio do ar-condicionado na pele nua de seu crânio. Nem tudo é clareza e resplandecência naquela careca brilhante que remete a uma poltrona de madeira de Zanine Caldas: como ele desconfiava, o verdadeiro destino de sua mulher não é a academia onde ela costuma malhar, no Leblon.

Na Barra da Tijuca, o que Lô apenas pressente começa a tomar forma diante de seus olhos. A Land Rover adentra o condomínio de Tavinho Sabão.

Lô salta do táxi, paga a corrida — mais cara do que esperava — e vai até o portal Vivendas Tropicais.

Um dos seguranças do condomínio o interpela: Onde o senhor vai?

Na casa do Tavinho Sabão, sou amigo dele, o Lourenço Barclay, designer.

É mesmo?

Frequento os luais dele.

Não estou reconhecendo.

É que raspei o cabelo e fiz a barba.

Sei.

Conheço a Rubi também. O Rabbit.

Documento, por favor.

O segurança tem dificuldade em encontrar semelhança entre aquele homem de cabelo raspado e barba feita e as fotos estampadas nas carteiras de habilitação e do Instituto de Arquitetos do Brasil, que mostram um sujeito de barba rala milimetricamente aparada e cabelos volumosos.

Depois de alguns momentos de hesitação, o segurança diz, devolvendo os documentos a Lô: Sua mulher acabou de entrar. Ela tem aparecido bastante.

Somos compadres, eu e o Sabão.

Pode entrar. Vou avisar que o senhor está entrando.

Não precisa!

É norma da segurança.

Quero fazer uma surpresa, acabei de chegar de viagem. Eu estava na Califórnia. Fui inaugurar o Museu do Surfe lá.

Sei, diz o segurança, indicando com um gesto que Lô siga em frente.

Caminhando pela aleia que leva à casa do ex-surfista, o designer experimenta sentimentos ambíguos ao ver sua Land Rover estacionada em frente ao portão. Ele pula o muro e inala o perfume de jasmim-manga que o remete à infância. Acaricia o rottweiler Rabbit para que ele o reconheça e não comece a latir. Seguido pelo cão, Lô circunda a casa até a janela do quarto de Tavinho e Rubi e só então percebe que seu coração está disparado.

E não é por medo do Rabbit.

Enquanto aguarda que Carolzinha, presa a uma coleira, satisfaça suas necessidades fisiológicas na calçada, Zé Thiago continua intrigado pela visão da praia lotada.

Lembra-se das inúmeras vezes em que o pai o levou à praia na esperança de que ele demonstrasse aptidão para o surfe. O mais estranho é que, mesmo que Zé Thiago sempre tenha deixado claro seu absoluto desinteresse pelo esporte, Lô nunca aceitou as evidências e sempre se portou como se o filho fosse um surfista nato.

Quantas vezes, depois de Zé Thiago tomar uma vaca e ser despejado do mar com o aspecto de um pano de chão, o pai o aplaudia e perguntava: Tem sensação melhor?

Que sensação?

E as leituras de J. K. Rowling?

Que melancolia aterradora lhe causavam as descrições das agruras de Harry Potter na Escola de Magia e Bruxaria de Hogwarts!

E se o pai gostava tanto de surfe, design e de meninos bruxos, por que decidira que a carreira diplomática seria a mais indicada para o filho?

E por que, de repente, sem mais nem menos, mudara de ideia, definindo que relações internacionais se encaixariam melhor nas aspirações de Zé Thiago?

Aspirações?

Relações internacionais?

Que relações seriam essas?

Com quem ou o que exatamente?

Por falar em relações, ao ver que Carolzinha esvazia a bexiga, Zé Thiago se toca de que há tempos ele não tem relações sexuais com ninguém.

Juliana estava bastante sexy quando a encontrou ontem no shopping.

Zé Thiago percebe que nunca soube quem Ju realmente é. Nunca a conheceu de verdade nas extensas semanas em que a namorou, há mais de seis meses.

Também, sonsa daquele jeito…

E se eu me colocasse um objetivo?, pergunta-se.

Uma meta?

Não é isso que aconselham todos os livros de autoajuda e palestras motivacionais?, conclui Zé Thiago como um náufrago que avista uma gaivota.

Entendeu agora por que meu nome é Rubi?

No momento a língua de Annabel está ocupada com outros afazeres. Mas, sim, ela entendeu perfeitamente a conexão entre a pedra preciosa vermelha e o clitóris da jovem mulher de Tavinho Sabão, que lambe com tal avidez que faz a própria Rubi se desinteressar pela resposta.

Quem leva alguns segundos para entender a situação é Lô — ainda que a surpreendente visão o inunde de desejo e ele sinta uma ereção intensa e sutilmente dolorosa —, observando a cena pela janela, do lado de fora da casa, trepado em um vaso em que uma pequena árvore da felicidade viceja alheia às paixões humanas.

Rabbit, deitado na grama, também não demonstra muito interesse pelos gritos e sussurros femininos que emanam do quarto de casal.

Mas a cena, definitivamente, não é difícil de entender: ali estão duas belas mulheres nuas, deitadas na cama, na mais cabal demonstração de um *cunnilingus* clássico.

O que está pegando para Lourenço Barclay é assimilar que sua mulher esteja chupando a boceta da mulher de Tavinho Sabão.

Ele poderia ter observado melhor a cena, e até saboreado, por que não?, caso Rubi não tivesse aberto os olhos e percebido a presença de um estranho careca na janela observando-a de boca aberta.

Annabel vira a cabeça assim que percebe que a onda de sua parceira foi cortada por algo que ocorre na janela do quarto, atrás de si: Lô?

Naquela posição, de quatro, o corpo suado de Annabel cobre-se apenas de suas longas madeixas grisalhas.

Que susto! diz Rubi, ofegante. Não sabia que tu tinhas raspado o cabelo.

Zé Thiago observa o edifício Leonor no largo dos Leões. É um prédio relativamente pequeno, de cinco andares, sem porteiro.

Lembra-se de já ter passado pelo portão de entrada uma ou duas vezes, mas sempre muito rápido e de maneira furtiva.

Subir ao quarto andar, ele nunca subiu.

Por que esse mistério todo, cultivado como uma obsessão?

Sua presença ali seria mesmo tão perigosa?

Perigosa para quem, afinal de contas?

Não dá para negar que esses fatores só aumentam a curiosidade e injetam adrenalina em sua busca obstinada.

Nada como encontrar um sentido para a vida. Ou, pelo menos, para as tardes entediantes de férias.

Ele toma coragem e caminha até o portão.

Como previra, está trancado.

Aperta o botão do interfone do apartamento 42.

Nenhuma resposta.

Toca de novo.

Merda.

Volta ao largo, senta num dos bancos de cimento e pensa sobre o próximo passo. Um objetivo — algo raro em sua vida — não deveria ser abandonado à primeira resistência.

É preciso perseverar.

Alguns minutos se passam até que vê uma senhorinha sair do prédio acompanhada de um cachorro pequinês.

Zé Thiago nunca tinha visto um pequinês em carne e osso. Pensava que estavam extintos.

A velhota caminha pelo largo até o animal encontrar um lugar onde urinar e defecar. Depois ela retira metodicamente um saco plástico da bolsa, no qual deposita os dejetos do cão. Alguns metros adiante, joga o saco numa lixeira e começa a caminhar de volta ao prédio.

Zé Thiago percebe que o destino lhe presenteia com uma oportunidade. É preciso ser rápido e determinado: se levanta do banco e sai correndo. Quando a tiazinha abre o portão, Zé Thiago o ampara para que ela e o pequinês entrem no prédio.

Em seguida ele entra também.

Antes do almoço Lô Barclay desce à rua para uma caminhada na praia — sobra tempo agora que se livrou das obrigações da meditação e do surfe matinal —, e no caminho passa por um desses botequins que ainda resistem à especulação imobiliária no Leblon. Movido por uma intuição, está decidido a comprar um maço de cigarros. Depois da carne, a nicotina lhe parece o próximo e óbvio degrau da escalada de sua libertadora decomposição. Sempre o intrigou que Hitler, um vegetariano convicto, tenha promovido as primeiras campanhas públicas contra o tabagismo.

De frente para o mar, contemplando através das lentes escuras de seu Ray-Ban jogadoras de vôlei moverem-se graciosamente pela areia, Lourenço Barclay abre o maço de Marlboro, põe um cigarro na boca e o combure com o Zippo dourado com que costumava acender incensos.

Segue-se uma longa e redentora tragada.

A sensação da fumaça tóxica invadindo seus pulmões é fruída como uma defloração. A aspiração evoca ritos ancestrais. Lô pensa nos olmecas, da América pré-colombiana, que usavam fumaça de tabaco para alterar seu estado de consciência durante cerimônias em que sacrificavam pequenas virgens aos deuses. O erro de nossa civilização foi banalizar o tabagismo, desvinculando-o de suas origens ritualísticas, conclui.

Flanando mentalmente por tantos e variados assuntos, Lô regressa mais uma vez à estranha situação ocorrida de manhã. Quando pulou a janela do quarto dos Sabão, instigado por uma Rubi ao mesmo tempo tensa e sapeca e por uma Annabel absolutamente atônita, não sentiu ciúmes, raiva ou desespero. Pelo contrário, sua atração por sua mulher — e pela outra — só fez crescer. Melhor descrevendo: intumescer, enrijecer. Sem palavras, desvencilhou-se das roupas e atirou-se sobre as duas. Foderam loucamente, como predadores no cio. Praticaram inúmeras variações de coito selvagem como macacos descerebrados. Todas as práticas tântricas do passado revelaram-se entediantes como livros de colorir.

Depois da foda, refestelado entre as duas mulheres adormecidas, Lourenço Barclay viu-se invadido por uma ternura imensa por Annabel. Desde a lua de mel, nas ilhas Maurício, não se sentia tão apaixonado por ela. Estranhamente, a constatação da traição da esposa dissipou qualquer dúvida que ainda pairasse em seu espírito e reforçou que Annabel é a única mulher que ele ama de verdade.

Embevecido pela nicotina e pelas reflexões surpreendentes que ela inspira, Lô repara numa garota que bebe água de coco num quiosque a poucos metros de onde ele está. É muito jovem, veste um biquíni sumário e olha fixamente para o designer enquanto suga o canudinho. Lô não acredita que ela seja virgem, mas ainda assim renderia um belo sacrifício numa cerimônia olmeca.

Lô retribui o olhar da garota enquanto expele fumaça pela boca e pelo nariz, num gesto que imagina charmoso e repleto de virilidade. Então começa a tossir e percebe que a menina ri da maneira desajeitada como ele fuma.

No elevador, a senhora diz: Muito obrigada, você é muito gentil.

Zé Thiago agradece, mas o pequinês começa a rosnar, como se discordasse da dona.

No quarto andar, Zé Thiago sai do elevador e caminha até o apartamento 42.

Não se sente propriamente gentil. Pelo contrário, há algo de perverso em suas intenções.

Ele toca a campainha, aguarda ansioso por alguns segundos, mas ninguém atende.

Apesar de nunca ter estado no apartamento, ele sabe bastante da rotina da dupla que o habita.

Do terceiro elemento, uma diarista ocasional, pouco sabe, mas conclui que ela também não está em casa.

Pena.

Peraí.

Ele se lembra de que uma das moradoras é avoada e de que

a porta às vezes é deixada destrancada para o caso de ela se esquecer de levar a chave.

Olha para os lados, não há vestígios de câmeras de segurança no minúsculo corredor do edifício Leonor, que lembra uma mansão assombrada da Disney.

Zé Thiago gira a maçaneta e…

A porta está aberta.

Ele entra devagar e fecha a porta atrás de si. Seu coração dispara. O que se iniciara como uma aventura conceitual e subjetiva agora se configura numa, como é mesmo?, invasão de domicílio.

Crime.

Uau. Como a vida pode ser emocionante quando se tem um pouco de arrojo.

Como ele não tinha percebido antes?

Daddy would be proud.

Caminha pela sala pequena em que fotos de Simone de Beauvoir se destacam na parede. Uma televisão e uma estante cheia de livros ocupam quase todo o espaço do cômodo. A cozinha, a área de serviço, o banheiro…

O quarto da mãe. *Weird.* Mais fotos de Simone de Beauvoir e de outra tiazona baranga. Como é mesmo o nome dessa?

Betty Friedan.

No armário, roupas de coroa. E essa caixa de madrepérola? Guardará vibradores de variadas bitolas?

Ah, os punhais.

Coroa maluca.

E, agora, tchan tchan tchan tchan…

O quarto da Ju.

O cheiro da Ju.

Fotos de Anne Frank, claro. Ele já esperava por isso.

O armário. A gaveta das calcinhas coloridas: *Smells like teen spirit...*

E aquilo ali embaixo da cama?

Um pano com um pau bordado?

O designer fuma um cigarro enquanto caminha pensativo pela calçada e não percebe a aproximação de Tavinho Sabão. O ex-surfista, de bermudão e carregando uma prancha, traz o semblante lívido, como se estivesse prestes a desmaiar.

Lô? Careca? Fumando?

Lô pressente a aproximação de nuvens coriscantes: Fazendo o que aqui, Tavinho?

O que você acha que eu estou fazendo aqui, Lô?

O designer larga o cigarro estudando possíveis rotas de fuga.

Hein?, insiste Tavinho, e Lô percebe os dentes do ex-surfista querendo pular pra fora da boca como se tivessem se soltado da gengiva.

Você soube de alguma coisa?, arrisca Lô.

Soube.

Foi…

Hein?

Foi…

Desembucha!

A... Rubi?

O que tem a Rubi?, Sabão pergunta com o olhar frio de um leão-marinho ferido.

Ela...

Não foi ela.

Não?

Sabão balança a cabeça negativamente.

Quem te contou?

O que importa quem me contou? Você não sabe o que eu estou fazendo aqui, Barclay?

Agora os dentes de Sabão se destacam de sua boca como presas brilhantes de uma foca faminta.

Tenho alguns palpites.

Palpites? O que deu em você? Não olha mais pras ondas? Não sente o vento batendo na cara? Não enxerga a prancha que eu estou carregando? Não leu na internet que entrou um terral de dez nós que esculpe monalisas tubulares no pontão do Leblon? Não percebe as evidências? Hein? O que aconteceu, Lozão?

Ele também queria entender.

Eu estou surfando, porra!

Antes que Lô possa justificar seu atual e crescente desinteresse pelo surfe, Tavinho Sabão larga a prancha na calçada e afunda o indicador no peito do designer: Sabe quem me contou?

Contou o quê? Sobre o terral?

Terral o caralho. Se liga!

Quem contou o quê?

Sobre você.

Não, responde Lô, pressentindo uma porrada na cara com a intensidade de uma Teahupoo dessas que só se formam uma vez a cada século.

O Pepê!

O Pepê?

Sabão, com um sorriso idiota, aquiesce.

Ele já morreu, Gustavo.

Ele apareceu pra mim num sonho. Sabe como? Tavinho expande o sorriso e encara Lô como se o enigma da existência acabasse de ser decifrado: Careca!

Um silêncio súbito paira sobre os dois.

Não é incrível? O Pepê surgiu pra mim do mundo dos mortos, e estava careca. Ele olhou na minha cara, abriu a mão e me mostrou um besouro. Um besouro, Barclay! O símbolo egípcio da morte e da transformação.

Não sei o que dizer, Gustavo.

Você já disse! Antes de todos nós. Você está careca, Barclay. Abandonou o surfe. Começou a fumar. Se relaciona com menores de idade. Eu estava te observando na praia agora há pouco. Vi como você fumava e contemplava as pequenas ninfas. Você está me indicando um caminho, Lô! Como uma bússola, um farol ou um… um megafone.

Tavinho faz uma pausa dramática e aponta a prancha largada no chão: A resposta não está mais no surfe.

Eu sei, concorda o designer, aliviado porque a conversa não se referia a seu entrevero matinal com Rubi e Annabel.

Onde ela está então?, insiste Sabão com os olhos arregalados.

Lô tem a impressão de que os olhos de Eddie Aikau, tatuado no peito de Tavinho, também se arregalam.

Onde, Barclay?

Os ruídos da praia misturados aos sons dos carros se sobrepõem momentaneamente ao silêncio.

Nos besouros?, arrisca Lô, preocupado com a sanidade do amigo.

Você conhece alguma barbearia por aqui?, pergunta Tavinho Sabão, subitamente desinteressado do diálogo, enquanto veste uma camiseta que trazia enrolada na cintura e que agora cobre o rosto de Eddie Aikau.

À noite, finalmente Lelê atende ao telefone: Sumida!, diz Ju. Tentei te ligar, de manhã fui até a tua casa pra ver se te achava.

Poxa, Ju. Tava procurando o Varão.

E aí, alguma novidade?

Nada.

Otária. Ele já voltou.

Jura? Como você sabe?

Encontrei o José Thiago ontem no shopping e ele me contou. E depois o Lô me mandou uma mensagem combinando um encontro amanhã na Macumba. Detetive vacilona!

Não seja injusta! Passei o dia inteiro na frente do prédio dele, na praia.

Deve ter ficado olhando o mar em vez de olhar o prédio. Tinha muito surfista?

Alguns. Tinha muito turista também.

Vou dizer pra minha mãe que vamos juntas à praia. Acabou sua carreira de detetive.

Graças.

Por falar em minha mãe, se liga: ela te convidou pra dar umas facadas no finde.

Alguma freira dessa vez?

Vi ela recortando uma foto do papa Francisco ontem à noite.

Tua mãe não bate bem.

Jura? Ela descobriu as manchas no meu sovaco.

E aí?

Despistei. Mas ela ficou bolada.

Mas me conta! Quer dizer que amanhã o bicho vai pegar!

Desculpe ter alugado o seu tempo, Lelê. Valeu o empenho, amiga.

Me dei bem, conheci um gato.

Na internet?

Na praia!

Tá explicado por que você não viu o Lô. Surfista?

O antissurfista. Careca. Fumante. Um charme.

Turista?

Não. Nada que caiba nas definições tradicionais.

Ui!

Um homem experiente.

O que você quer dizer com *experiente*? Barrigudo?

Velho. Mas sarado. Misterioso. Achei que era experiente porque ele fumava e estava de óculos escuros. Todo homem que fuma e usa óculos escuros me lembra o meu avô, que é megaexperiente, fuma como uma chaminé e nunca tira os óculos.

Se ligando em coroa agora?

Você sabe, sou bastante influenciável. Ainda mais por uma mente esclarecida como a sua.

Cínica. Careca?

Como um capacete. Deve ser mais um desses pós-budistas atrás do sentido da vida.

Ele deu mole?

Fez umas gracinhas.

Ah, paixão platônica.

Dei meu jeito.

Chegou junto, Lelê?

Mais que isso, acho que amanhã vou ver o pôr do sol acompanhada.

Safada!

Mas vamos falar de você, Ju. Quero saber de tudo amanhã, hein?

Se eu voltar viva.

De manhã, Juliana encontra Lô na praia da Macumba.

Logo que se aproxima do carro, fica chocada ao vê-lo careca.

Lô sente o espanto da menina e pensa que talvez ela tenha intuído que ele se transformou e que também ela será descartada de sua vida, como a barba, o cabelo e as crenças e os hábitos inúteis.

Dentro do carro estacionado, Lô explica que Juliana foi muito importante para ele nos últimos meses, e que suas axilas, além de lhe proporcionarem orgasmos e eventuais irritações no prepúcio, ajudaram-no a vislumbrar um novo sentido para a vida. Mas agora ele precisa seguir seu rumo sozinho e não pode ficar ali por muito tempo, pois tem um compromisso importante mais tarde.

Ju parece não entender suas palavras, horrorizada com a careca, para a qual não deixa de olhar fixamente.

Será que fiquei tão feio assim?, pensa Lô.

Profere em seguida o mesmo discurso da primeira vez que se encontraram, há seis meses, naquela mesma praia: diz que é preciso dar um basta naquele nonsense, que ele é um homem de cinquenta anos, famoso, bem-casado, pai do ex-namorado dela, e que a situação que estão mantendo, além de constrangedora, beira a loucura. Claro que nada disso convence Ju de coisa alguma. Lô percebe que ela fora até a Macumba com a expectativa de que continuassem a se relacionar, trepando ocasionalmente dentro da Land Rover como pervertidos anestesiados.

Não, isso não é mais possível, insiste Lô.

Mas Juliana só faz olhar para a careca dele. No rosto dela, Lô vê se formar uma expressão de horror que ele não conhecia.

Ju pergunta: Você também está fumando?

Lô imagina que o carro esteja fedendo a cigarro, pois não fumou durante a conversa. Ou quem sabe ela tenha percebido pelo seu hálito?

Estou, sim. Como você descobriu?

Ju não diz nada. Simplesmente abre a porta, salta do carro e não olha para trás mesmo quando Lô grita que lhe dará uma carona até um ponto de táxi.

Ele não imaginava que ela fosse tão antitabagista.

Tavinho Sabão estaciona seu Mitsubishi amarelo numa ruazinha pacata de Jacarepaguá. Permanece por um tempo dentro do carro. Ele tem consciência de que anda inquieto e estranho, mas sabe que alguma coisa importante está para acontecer. Pensa mais uma vez no último voo de Pepê.

Por que ele tinha insistido em voar naquele dia, com chuva e ventos indomáveis?

Bem, se não tivesse voado não seria o Pepê.

Antes da prova, quando lhe perguntaram sobre suas chances de conquistar o campeonato, o lendário surfista e campeão de voo livre disse: Só Deus sabe o que vai acontecer.

Tavinho sai do carro e contorna o muro alto da clínica Sol da Manhã.

A manhã ensolarada e o nome assertivo não conseguem dissipar a sensação de melancolia que o lugar impõe, como a sombra de uma nuvem gigante.

Ele escuta vozes do outro lado do muro. Ou seriam vozes

dentro de sua cabeça? É preciso tomar cuidado para não ser confundido com um dos habitantes da clínica.

Tavinho se apoia no muro e vê um grupo de homens jogando vôlei num gramado, vigiados por um enfermeiro desatento. Olha em torno e finalmente localiza Jackson Calhau sentado num banco, contemplando algo invisível ao resto da humanidade. É difícil reconhecer naquele homem seco o adolescente dourado que encantou Cabo Frio no campeonato nacional de surfe de 1979.

É chegada a hora de religar Jackson Calhau à existência!

Não será mais por meio do surfe, entretanto.

Calhau, sussurra Tavinho. Calhau…

Esta será sua primeira missão, pensa. Libertar Calhau daquele buraco e reconduzi-lo à liberdade.

Jackson Calhau demora a perceber que é de Tavinho Sabão a estranha cabeça que se destaca no alto do muro da clínica.

Sabão? Que porra é essa? Não te reconheci assim…

Psiu, faz Tavinho. Silêncio. Vem comigo, vim te salvar.

Do quê?

Sem questionamentos filosóficos, Calhau! Vem comigo.

Vamos surfar?

Se liga. A resposta não está mais no surfe, afirma, se apoiando no alto do muro enquanto estende o braço para que o ex-menino prodígio das ondas de Cabo Frio escale a barreira que o separa da liberdade.

Depois de caminhar por muito tempo e de pegar um ônibus, Juliana Belletti salta num ponto próximo da restinga da Marambaia.

Não há nada por ali, só areia, tufos de mato, vento, cheiro e barulho de mar, e uma atmosfera de fim do mundo.

Ela se afasta até as dunas e encontra um lugar de onde não pode ser vista.

Deixa que o ruído das ondas a envolva numa espécie de neblina sonora e imagina suas orelhas como duas conchas, daquelas em que se ouve o mar.

Vê uma gaivota voando ao longe.

O que Lô viu no deserto?

Será que é tão diferente assim do mar?

O que importa, no fim das contas, é o grande vazio, certo?

A imensidão e o silêncio.

O som do vento.

Será que tudo se resume a ficar sozinho?

Ou melhor, a se sentir bem sozinho?

Se for assim, ela deveria ser a pessoa mais feliz do mundo!

Bem, ela *não* está feliz.

Olhando a gaivota, Ju se lembra de uma passagem do *Diário de Anne Frank* em que a menina descreve uma bronca que levou de um professor por falar muito durante a aula. Como castigo, o professor ordenou que ela escrevesse uma redação com o título de "Quac, quac, quac, tagarelou a Dona Pata".

Anne escreveu um poema sobre uma mãe pata e um pai cisne com três patinhos que foram bicados até a morte pelo pai porque grasnavam muito. Desse dia em diante o professor nunca mais a repreendeu por falar na aula nem lhe passou mais deveres extras.

Quac, quac, quac…

Quando viu Lô careca, com a cabeça raspada como um melão, Ju entendeu tudo.

Então é isso que chamam de tragédia?

Ela pode até ser descartável, reciclável jamais!

Quer dizer que, além de careca, Lô agora também fuma?

Ela liga mais uma vez para Lelê, mas a amiga não atende.

Amiga?

Quando passava pelo Arizona, Lô parou a Kombi no topo de um aclive e dali contemplou a base aérea de Davis-Monthan, o maior cemitério de aviões do mundo. Pegou o lápis e o caderno de notas no porta-luvas, subiu no teto da Kombi, sentou na posição de lótus e começou a riscar esboços das intermináveis fileiras de carcaças de aeronaves desativadas. Havia tempos não desenhava daquele jeito, sem um projeto definido na cabeça, como quem divaga no papel. E, estranhamente, não pensava mais em surfe. Esboçou ali um projeto de uma poltrona em forma de asa de avião com hélices. No deserto, Lô acabara de perceber que as ogivas tinham se esgotado para ele. Uma prancha de surfe é uma ogiva, o.k. Mas a porta em forma de arco de uma igreja gótica também é, assim como o míssil devastador. E pensar que seu design era inspirado por pranchas de surfe, quando eram igrejas e bombas atômicas que o assombravam secretamente.

Agora, no ateliê, Lô tenta levar adiante o projeto da poltrona em forma de asa de avião, mas o desenho não flui. Seu design, assim como ele próprio, está se transformando. Distrai-se por um momento e acende um Marlboro. Antes que a secretária Luciana chame os bombeiros ou o manicômio, avisa-a de que agora, além de comer carne, ele fuma cigarros.

Enquanto Luciana vai tomar um café para digerir as novas informações — achou-o estranho careca —, Lô contempla pela janela a rua que uma árvore recém-podada tornou um pouco mais desolada.

As pessoas pensam que, pelo fato de Lourenço Barclay se inspirar no surfe para compor seus objetos, o páthos da morte e da destruição não transparece em sua obra. Imaginam Lô como um criador superficial, por exibir aparência solar e frequentar eventos mundanos e frívolos. Mas não compreendem que muitas vezes o rosto desfigurado de uma socialite pode ser mais instrutivo sobre a destruição do que a cratera cavada por uma bomba nuclear.

No início da carreira, Lô buscava no poliuretano e nos móveis em forma de pranchas, que remetem a foguetes, totens ou obeliscos, a imantação que proporcionavam as raízes retorcidas e os troncos suplicantes do artista plástico de origem polonesa Frans Krajcberg. Para Lô, as raízes mortas de Krajcberg — testemunhas da devastação de que o espírito humano é capaz — expressam um planeta vivo em permanente estado de decomposição.

Talvez, agora, devesse se inspirar em troncos calcinados em vez de asas de avião.

Olha o relógio e apaga o cigarro, não quer se atrasar para o compromisso no fim da tarde, na praia.

Nada como recomeçar do zero, pensa.

Ao guardar os esboços na gaveta, encontra a velha bússola de bronze com que seu avô o presenteara quando voltou da Califórnia nos anos 1970, um modelo do século XIX usado por capitães da Marinha mercante inglesa.

Mais eficiente será projetar uma poltrona em forma de *axileta*, conclui, como quem atinge a iluminação.

Mais uma.

Ainda bem que Lô conheceu um dia as palavras do Buda e optou, como o mestre, pelo caminho do meio, aquele em que se percebe que todas as dualidades aparentes no mundo são ilusórias. Está decidido o próximo projeto e explicado o neologismo: axila de ninfeta.

Vestida com uma camiseta em que se estampam três emes maiúsculos, Maria Emília poderia ser facilmente confundida com uma lutadora de MMA. Pelo que se sabe, a psicanalista curitibana é praticante de boxe, não de lutas marciais.

MMM?, pergunta Ana Cecília ao recepcionar a amiga no saguão do aeroporto Santos Dumont.

Marcha Mundial das Mulheres.

Não sabia que era esse o nome do congresso.

Movimento. Temos mais de cinco milhões de apoiadores registrados na ONU.

As duas caminham até o estacionamento do aeroporto, onde embarcam no velho Fiat de Ana Cecília.

Você não quer mesmo ficar hospedada na minha casa?, pergunta Ana Cecília enquanto se deslocam pelo aterro do Flamengo.

O congresso é na Barra, você mesma diz que o trânsito está horrível aqui no Rio. Além disso, sei que a Juliana fica meio desconfiada de nós duas quando durmo lá.

A Ju é careta como o pai.

Deixa ela.

Estou com saudades de você.

Eu também! Largamos minha mala no hotel e depois vamos jantar por ali, pra botar a conversa em dia.

Não dá, Maria Emília, tenho que servir o jantar da Ju.

Servir o jantar da Ju? O que é isso? A Juliana não é mais um bebê. Você tem que deixar essa menina sair de baixo da sua saia.

Eu não uso saia, Maria Emília.

Verdade. Já queimamos as saias, os sutiãs...

Minha avó morreu queimada num incêndio num circo. Ela era a mulher alvo de um atirador de facas.

Você já me contou.

Ana Cecília passa seu celular para a amiga: Liga pra Ju. Avisa que eu não vou jantar em casa.

Depois de ligar, Maria Emília aguarda alguns instantes: Não atende, diz, devolvendo o aparelho.

Lô vê dois carecas caminhando em sua direção.

Ele acaba de destravar a porta da Land Rover, de saída do ateliê.

Carecas de óculos escuros.

Ele pressente que será assaltado e instintivamente aciona o alarme do carro.

Sou eu, diz um dos carecas, tirando os óculos para que seja reconhecido.

Gustavo Sabão, careca como uma bola de boliche de óculos escuros, sorri para Lourenço Barclay.

Em seguida, obedecendo a um gesto de Sabão, o careca ao lado dele também tira os óculos.

É o Jackson.

Lô faz um gesto com a cabeça, cumprimentando os dois velhos surfistas.

Não vai desligar o alarme?, pergunta Calhau.

Lô nota que Luciana e alguns funcionários do ateliê saíram para a rua, alertados pelo barulho.

Tudo certo, Lô diz, enquanto desliga o alarme e tranquiliza sua equipe, que volta ao trabalho.

O que é isso, Gustavo? Vocês de cabeça raspada, óculos escuros...

Barclay! Por que você sempre tem dificuldade pra enxergar as coisas? Nós estamos simplesmente nos *juntando* a você. Nos reconectando.

Pode crer, atesta Calhau com um sorriso que assustaria um enfermeiro experiente.

Aceita um?

Tavinho, que havia tirado um maço de Marlboro do bolso, oferece um cigarro a Lô, que recusa com um movimento de cabeça.

Em seguida Sabão puxa dois cigarros do maço, dá um a Calhau e os dois começam a fumar.

Me esqueçam, diz Lô.

Você devia ficar orgulhoso, rebate Sabão, soltando fumaça pela boca, sorridente. Lô constata que o sorriso do ex-surfista não o intimida mais, como antes.

O que você entende da decomposição libertadora, Gustavo? O que você sabe da decadência ascendente? Da morte viva, da destruição construtora?

Eu quero aprender, responde Sabão, encolhido como um chihuahua molhado.

Estou atrasado para um compromisso, diz Lô, destravando a porta da Land Rover. Me deixe em paz, Gustavo. E pare de desrespeitar a memória do Pepê.

Enquanto se afasta, o designer vê pelo espelho retrovisor as figuras carecas de Sabão e Calhau paradas no meio da rua como dois bonecos infláveis.

Observa a pequena imagem de Shiva pendurada no espelho retrovisor. Também conhecido como O Destruidor, Shiva é a divindade hinduísta que destrói para transformar. Empunhando um trishula, o tridente afiado, e com uma naja circundando o pescoço, o Destruidor dança suspenso no ar. Ele parece sorrir.

Num puxão, Lô arranca dali a divindade sorridente e a arremessa pela janela.

Ju escuta o ruído do motor se destacando do barulho das ondas.

O trenó sinistro se aproxima como um tanque de guerra e estaciona bem onde Ju imaginou.

Ela observa atentamente a Land Rover.

Como os vidros são escuros, não consegue ver nada do que se passa lá dentro.

O automóvel não trepida, mas parece se mover num balanço sutil e quase imperceptível, como se um terremoto muito brando brotasse das placas tectônicas nas profundezas do Atlântico.

Juliana começa a se arrastar pela areia, se aproximando do carro bem devagar, como um soldado (ou um caramujo) que se move pelo deserto. A poucos metros da Land Rover, ouve os ruídos inconfundíveis. Imagina que vai desmaiar. Olha para o lado, em busca de uma pedra. Sua intenção é quebrar o vidro, fazer um escândalo, gritar, enfim.

Mas não.

É preciso manter o controle e ter certeza do que acontece.

Respira fundo e continua a se arrastar até chegar junto ao carro e ficar praticamente sob ele.

Os gritos e sussurros que emanam lá de dentro, embora abafados, não deixam dúvida sobre o que rola a bordo do Sputnik. É bem provável que o Lollipop esteja socando aquela pica escrota nas axilas virginais da Lelê. Juliana conhece muito bem os gemidinhos da amiga e os urros neandertalenses do Varão Angustiado.

Alguns meses antes, ela poderia muito bem ter batido no vidro e pedido para participar da festa. Mas agora aquele êxtase não é mais seu, entende?

Ju sempre acreditou que a trepada era a essência da coisa, mas estava enganada. Enquanto se arrasta rapidamente para longe do carro, ela pensa: Devo estar amadurecendo.

O que é preocupante.

Lelê, refestelando-se no banco do carona, aponta a praia: Ali não tem ninguém, vamos tentar fazer ali.

Você acha que dá?, pergunta o homem de cabeça raspada que tanto a atraíra no dia anterior, na praia. Ele não parece tão atraente agora, a seu lado e dentro do carro.

Pode ser ali, sim, diz Lelê. Mas tem lugares melhores pra gente fazer isso. Com menos gente olhando.

Mas aquela parte lá está vazia. O sol já se pôs, não tem quase ninguém, diz Tavinho Sabão.

Você não quer mesmo tentar achar um lugar mais vazio?

Não dá, eu te disse. Tem que ser aqui, na praia do Pepê, na avenida do Pepê. É pelo Pepê que eu faço isso.

O.k., o.k.

No dia anterior, quando conheceu Tavinho Sabão na praia do Leblon, Lelê ficara encantada com aquele coroa careca de óculos escuros que fumava um cigarro. Não percebeu, enquanto começavam a flertar e marcavam um encontro para o dia seguinte, que o homem era interessado em surfe. Pelo contrário, na rápida conversa na praia, ele se mostrou desapegado e pareceu um simples admirador da "beleza adolescente", como ressaltou, com uma boca dentuça muito desejosa e promissora.

Só hoje, quando ele ligou pouco antes da hora marcada, cogitando desmarcar o encontro deles por causa de uma desilusão com um amigo, é que ela entendeu que o careca não devia ser tão empolgante quanto tinha parecido à primeira vista.

Desilusão com um amigo?

Que corte.

Gay?

Ao convencê-lo de que deveriam se encontrar mesmo assim, pois ela tinha um antídoto infalível para decepções com amigos, o enigmático careca do dia anterior tornou-se um melancólico careca do aqui e agora, insistindo que o encontro deveria acontecer na avenida do Pepê. Foi quando Lelê notou que, além de meio esquisito, o sujeito tinha alguma ligação com surfe.

Agora, depois de toda a chorumela sobre um amigo que o humilhara, Lelê começa a desconfiar de seu flerte maduro. Ele, na verdade, parece bem imaturo. Desequilibrado até.

Por que ela não tem a sorte da Ju?

Um amante experiente a conduzi-la a orgasmos inéditos pela fricção da pica cascuda no sovaco imaculado.

Pensando bem, talvez seja melhor ter gente por perto.

Bora lá?, pergunta Sabão.

Bora.

Eles saltam do Mitsubishi amarelo. Lelê carrega uma sacola de sisal, e Tavinho uma mochila da Osklen. Caminham até um ponto onde a praia já está praticamente vazia depois do pôr do sol.

Lelê saca da bolsa a caixa em que guarda as facas de arremesso Rambo 2. Ela as retira da caixa e percebe o semblante maravilhado de Tavinho Sabão.

Maneiro esse teu lance com as facas, ele diz.

É um santo remédio, comenta Lelê, que decide usar a caixa como suporte para o alvo. Um alívio para humilhados e ressentidos. Cadê a foto do teu amigo?

Tavinho abre a mochila e pega uma revista de celebridades. Depois de folheá-la, encontra a página que será usada como alvo, onde se vê a foto do rosto sorridente de um coroa cabeludo com a barba por fazer.

O que foi?, pergunta Tavinho ao notar a expressão de espanto de Lelê.

O amigo que te humilhou é o Lourenço Barclay?

Ao parar num sinal, Lô vê alguns garotos lavando o para-brisa dos carros em troca de dinheiro. Chama a sua atenção a maneira como eles abordam os automóveis, já espirrando água nos vidros, impondo a limpeza antes de consultar os motoristas. Ao perceber que um deles se aproxima da Land Rover, Lô abaixa o vidro da janela e avisa que não quer que seu para-brisa seja lavado. O garoto finge não entender e continua se aproximando. Quando Lô vê de perto o olhar revoltado do menino, fecha rapidamente a janela, temendo ser agredido. O garoto cola o rosto no vidro e sorri de uma maneira aterradora. Séculos de miséria e provação se desenham no rosto descarnado de dentes assimétricos. Lô sente um arrepio e parte em velocidade logo que o sinal abre.

Calma!, diz Annabel, a seu lado, com um sorriso malicioso. Nem parece que você acabou de gozar.

Ela pousa romanticamente a cabeça no ombro do marido: E esse lance de você careca... Nossa, parecia que eu estava fodendo com outro cara.

Meu pau ficou duro de novo.

Jura?

Annabel checa a veracidade da informação.

Me comer no carro, naquela praia deserta, te deixou assim?

A trepada no carro. A transa com você e a Rubi. O renascer do nosso furor. O conjunto da obra. Você gostou?

Adorei.

Podemos fazer sempre. Conheço muitas praias.

Annabel se inclina para a virilha de Lô e começa a chupar seu pau.

Estamos nos redescobrindo, não é?

Hum, hum..., responde Annabel, momentaneamente impossibilitada de articular palavras com precisão.

Sexo tântrico, pensa Lô, perdendo um pouco o foco da avenida das Américas. Que bobagem.

À noite Rubi leva o prato de ração canina até o quintal, para que Rabbit faça sua refeição na hora certa. Alimentar o cachorro é uma das funções do marido, mas ele ainda não chegou do trabalho. Tavinho Sabão anda estranho nos últimos dias, ausente, falando coisas sem sentido e obcecado por sonhos esquisitos.

Estará desconfiado de alguma coisa?

Na noite anterior chegou tarde, quando Rubi já dormia. De manhã saiu cedo, antes que ela acordasse.

Depois de deixar a comida na casinha do cachorro, Rubi escuta o som do Mitsubishi entrando na garagem. Ela corre para recepcionar o marido, mas, quando a porta do carro é aberta, solta um grito: Lô?

Sou eu, Rubi, diz Tavinho. Que cara é essa?

Desde quando você está careca?

Desde ontem, achei que você tinha reparado.

Dormindo?

Às vezes você dorme de olho aberto.

Você podia ter me avisado!

Cheguei tarde. Quando acordei, você ainda estava dormindo.

E aquele outro careca ali?

É o Calhau.

Jackson Calhau acena de dentro do carro.

Ele vai passar a noite aqui.

Calhau sai do carro e troca beijinhos com Rubi. A essa altura Rabbit já está fungando a virilha dele.

Rabbit!, exclama Sabão. Leva o Calhau pro quarto de hóspedes.

Rabbit conduz Jackson Calhau mansão adentro. O ex-surfista psicopata e o rottweiler amoroso parecem se entender perfeitamente, como se falassem a mesma língua.

Tavinho se volta para Rubi: Fiquei bonito careca?

Lindo. Vão pensar que é o pai do Kelly Slater. Por que esse lance de raspar o cabelo de repente?

Foi aquele sonho com o Pepê.

Ah, os besouros.

O besouro. Era um só.

Devia ser um escaravelho.

O Pepê estava careca no sonho.

E o Calhau já estava careca?

Eu levei o Jackson pra raspar o cabelo.

Vocês estão, tipo, incorporando o Pepê do seu sonho?

Estou me reconectando.

A quê?

Não sei. Estou me transformando.

No quê?

Não sei.

Num gato careca. Ou num besouro? Vamos entrar? Preparei um picadinho. Vou enrolar um beque, arrumar a cama do Calhau. Você precisa de rotina. E de uma gueixa de barriga verde. Vou te fazer uma massagem com cânfora. Você está com uma carinha cansada.

Cânfora, carinha, cansada. Tudo com cê. Estranho.

Estranho por quê?

Isso talvez queira dizer alguma coisa.

Você anda vendo sentido em tudo.

As coisas fazem sentido, certo? Dentro de um todo.

Não sei, Tavinho. Não vivo num todo.

Não?

Vivo num pedacinho do todo. Tá bom pra mim.

Você é evoluída, Rubi.

Já fui uma escaravelha.

Não sei se eu aguentaria viver dentro de uma pirâmide.

As pirâmides são para os mortos, Tatá.

Tavinho pensa por um momento na reação de Lô ao vê-lo careca. E de como aquilo o irritou. Não, a terapia das facas da Lolita do Leblon não funcionou como deveria. Ele continua magoado com Lourenço Barclay. Muito magoado. Aliás...

Rubi, por que você achou que era o Lô quando eu saí do carro?

Eu?

Você disse *Lô* quando eu saí do carro.

Eu disse?

Disse.

Ué, o Lô não está careca? Quando vi um careca ao seu lado, pensei que fosse o Lô.

Como você sabe?

O quê?

Que o Lô está careca.

Eu?

Você. Por que tanto eu, eu, eu? E que mania é essa agora de não usar mais calcinha?

Sinceridade?

Calma, diz Tavinho. É muita coisa na minha cabeça. Posso fumar um beque antes?

Ela ouve tiros.

Observa pela janela morros iluminados por rajadas de balas e explosões retumbantes.

Ela tem consciência de que aquilo é um sonho, mas não deixa de se sentir aterrorizada.

Gritos misturam-se aos tiros, num feérico apocalipse carioca.

Sua mãe engatinha pela sala: Os punhais! Precisamos salvar os punhais!

A ex-*petite femme fatale* acorda na sala com a TV ligada.

Percebe que adormecera no sofá. Sente-se muito pouco sexy agora. Só fantasmagórica, como sempre.

E assustada.

O despertar devia fazer com que sentisse alívio, mas o sonho, estranhamente, parece menos aterrador do que a realidade.

Vê pela janela o dia clareando.

Não há tiros ou explosões.

E seu celular está descarregado.

Um dia como outro qualquer.

Nenhum dia será mais um dia qualquer.

Uma ideia terrível ocupa sua cabeça e depois o corpo inteiro. É loucura, ela sabe, mas surge com a força de uma imposição e o efeito de um arrepio. Ju vai até o quarto e anota em seu diário: *Logo hoje que pintei as unhas de preto*. Depois caminha silenciosamente até o quarto da mãe. Ao entrar, nota que Ana Cecília não está. Quando abre o estojo de madrepérola, só vê dois punhais lá dentro. Um deles foi retirado do estojo.

Raimundo, como faz todas as manhãs, ouve rádio na portaria do edifício De Kooning.

O sujeito diz que os corpos de dois alpinistas, Alex Lowe e David Bridges, foram encontrados congelados no Himalaia depois de dezesseis anos desaparecidos.

David Goettler e Ueli Steck se preparavam para escalar o topo do monte Shishapangma quando se depararam com os corpos congelados de Alex e David. Eles estavam desaparecidos desde 1999, quando foram apanhados por uma avalanche...

Raimundo sente um arrepio.

... na época, Conrad Anker, que acompanhava Alex e David, conseguiu sobreviver. Ele se casou com Jennie, a viúva de Alex, e adotou seus três filhos...

Ele repara que a Land Rover de Lourenço está parada há algum tempo na calçada, depois que saiu da garagem.

... Jennie Lowe-Anker declarou que ela, Conrad e os meninos irão peregrinar pelo Shishapangma. É hora de colocar Alex para descansar...

E a Land Rover continua ali, parada.

Lourenço Barclay, o célebre morador do De Kooning, um dos prédios mais luxuosos da avenida Delfim Moreira, tem o hábito de sair cedo de casa. Mas não costuma ficar parado na calçada.

Pode ser a dona Annabel, supõe Raimundo. Desde que o Mini Cooper foi para a revisão, ela vem usando a Land Rover.

O porteiro tem a impressão de que a porta do motorista está aberta.

Dona Annabel deve estar com algum problema.

Raimundo resolve ir até a calçada ver o que está acontecendo.

Ele se aproxima do carro e constata que a porta realmente está aberta. O rádio toca música clássica. Raimundo nota uma perna apoiada no estribo cromado da Land Rover.

Perna peluda.

Não é a dona Annabel.

Raimundo sente uma reverência no ar, como quando entra na igreja.

Seu Lourenço?

Como resposta, só o crescendo do "Requiem em ré menor", de Mozart.

Do que vê em seguida, Raimundo não se esquecerá tão cedo: o talho aberto no pescoço do designer, por onde a vida escorre num jorro contínuo de sangue.

O DIÁRIO DE RITA DE CÁSSIA

5 DE FEVEREIRO

Hoje ligaram da Deat pedindo nossa ajuda no caso de um turista francês que apareceu enforcado num quarto de hotel em Copa.

Homicídio ou suicídio?

Eis a questão.

6 DE FEVEREIRO

Eu estava na sala dos investigadores tomando café. Tinha almoçado fazia pouco tempo, minha quentinha vegetariana, e não havia ninguém ali, pois todo mundo come fora. Quando está vazia, o que é raro, gosto de ficar na sala dos investigadores, pois ela tem uma janela que recebe a luz da tarde nesta época do ano. Estou há meses tentando começar a ler *Dom Quixote*. Achei que tinha chegado a hora. Estou há meses tentando emagrecer também. Foi quando um dos escrivães, o Paulinho, me avisou que tinha um cara querendo falar comigo sobre um homicídio ocorrido no ano passado.

Hum.

Homicídio requentado não costuma fazer bem para a digestão.

7 DE FEVEREIRO

Na faculdade, nunca entendi por que se enaltece tanto o princípio da Navalha de Occam, segundo o qual "Se em tudo mais forem idênticas as várias explicações de um fenômeno, a mais simples é a melhor".

Muitas vezes a explicação mais simples é só uma forma de evitar trabalho.

8 DE FEVEREIRO

Nem homicídio nem suicídio.

Resta outra opção?

Para quem trabalha na Delegacia de Homicídios da Capital, sim. Sempre. E não me venham com nenhuma Navalha de Occam, por favor. No caso de Jean Armand Dousseau, a solução mais simples seria dizer que ele amarrou o cinto de couro no suporte da TV no quarto do hotel e se enforcou.

Nada disso.

Morte acidental. O turista francês experimentava brincadeiras excitantes com um garoto de programa. Coisas lúdicas como pendurar-se no pelo pescoço enquanto o rapaz, em pé sobre a poltrona — também pelado — o escora, para em seguida penetrá-lo languidamente ânus adentro. Até o momento em que o michê se desequilibra, cai para trás, o corpo de Jean Armand se projeta para baixo e o cinto de couro rompe suas vértebras cervicais.

Pura rotina.

9 DE FEVEREIRO

Não lembro o nome dele agora, Deílson ou Adeílson, não sei. O final é ílson, tenho certeza. Está anotado no arquivo do meu computador.

O escrivão Paulinho pediu que ele me aguardasse numa sala que usamos para registrar ocorrências sigilosas. Quando entrei, com meu *Dom Quixote* debaixo do braço, vi o sujeito moreno, entre quarenta e cinquenta anos, de bermuda, camiseta puída e chinelo. Se aquela era a roupa que ele escolheu para ir à delegacia, imagino o que ele deve vestir no dia a dia.

Ele disse que queria falar com o Galindo, tirou um papel amassado do bolso da camisa — uma página arrancada de uma revista — e leu com esforço, apertando os olhos, numa evidência de que, além de não saber ler direito, já não enxerga muito bem: "O delegado responsável pela investigação da morte daquele designer".

Ele não pronunciou a palavra em inglês, *desainer*. Ele disse *desígner* mesmo, como quem não sabia que era uma palavra estrangeira e não tinha ideia do que ela significava.

Expliquei que o Galindo estava de férias, mas que ele poderia falar comigo, a delegada de plantão.

Ele hesitou.

Aquele idiota não deve confiar em mulher.

10 DE FEVEREIRO

É estranho pensar que o modelo do detetive moderno é um frade franciscano da era medieval. Guilherme de Occam, também conhecido como Doctor Invincibilis, pregava a intuição como ponto de partida para o conhecimento do Universo. A intuição me leva a olhar para o volume I do *Dom Quixote* sobre a mesa de cabeceira. Mas o sono, esse Doctor Invincibilis, me abate antes que eu alce voo em direção a uma aldeia da Mancha de cujo nome não quero me lembrar.

11 DE FEVEREIRO

O Adenílson (cheguei o nome, não era nem Deílson nem Adeílson) trabalha na praia da Macumba, vendendo coco numa barraca.

Confiando ou não em mulher, ele teve que se abrir comigo mesmo. Contou que via sempre ali na praia uma menina de quinze, dezesseis anos entrar na Land Rover do designer. Perguntei o que isso tinha a ver com o fato de o homem ter sido degolado no Leblon. Ele respondeu com outra pergunta: "Ele era casado, não era?".

Indagado por que só decidiu vir à delegacia dois meses depois do crime, ele explicou que não sabia que o homem que ele via na praia tinha sido assassinado. Só soube do fato alguns dias atrás, quando no café da manhã ele olhou por cima do ombro da esposa, que folheava uma revista, e reconheceu o sujeito sorridente de cabelo espesso e barbinha rala numa foto da reportagem sobre o crime.

12 DE FEVEREIRO

Concentração, Rita de Cássia!
Preciso dar um jeito na minha vida.
A dieta!
Por que tudo é tão difícil para uma mulher quando ela vive sozinha?

14 DE FEVEREIRO

O Amaury, da equipe do Galindo, me garantiu que Lô Barclay era um modelo de bom comportamento e que nada indica que ele tivesse alguma ligação com práticas pedófilas ou que fosse usuário de prostituição adolescente. Era um desses mauricinhos bem-sucedidos, cuja grande contribuição à sociedade foi criar móveis inspirados em pranchas de surfe. Tem gosto pra tudo.

15 DE FEVEREIRO

Comecei a ler o *Dom Quixote.*

16 DE FEVEREIRO

Surfista ocasional, bem-nascido, bem-casado, saudável e feliz, contribuía regularmente com causas humanitárias e ambientalistas. Além de muito bonito. O tipo do sujeito que, quando morre assassinado num assalto, você diz: É uma porra de um mundo sem sentido mesmo.

17 DE FEVEREIRO

O relatório do Galindo é conclusivo: tentativa de assalto. Provavelmente a vítima reagiu e o criminoso, portando uma faca, atacou. Assustado, o agressor fugiu antes de consumar o latrocínio, não levando nada da vítima. Crimes do tipo proliferam na zona sul há tempos. A morte do médico Jaime Gold é um bom exemplo desse procedimento: a vítima passava de bicicleta pela ciclovia da lagoa Rodrigo de Freitas por volta de sete da noite, quando foi abordada por dois menores. Mesmo sem reagir, Gold foi esfaqueado no abdome e no braço. Os menores fugiram com a bicicleta.

No relatório, Galindo cita várias ocorrências da mesma natureza em diferentes bairros nobres da cidade: Ipanema, Leblon, Botafogo, São Conrado, Aterro, Centro.

Fala-se numa tendência. As facas são mais fáceis de conseguir, além de mais baratas. Seu manuseio, mais simples. O efeito, praticamente o mesmo de uma arma de fogo. Uma vítima de assalto se apavora do mesmo jeito, esteja sob a mira de um revólver ou de uma faca.

O.k.

Galindo vai ficando mais subjetivo à medida que o relatório avança para o final. Nenhuma testemunha. Nas investigações — impecáveis, como acontece quando as vítimas são celebridades da mídia — não se apurou a presença de menores infratores na região. Na última linha do relatório, uma conclusão difícil de ser engolida por um tira cê-dê-efe como o Galindo: homicídio não solucionado.

21 DE FEVEREIRO

Olhando as matérias sobre o crime na internet, vi fotos da cremação do designer no cemitério do Caju. Familiares, amigos, artistas, celebridades, atletas, políticos, socialites e curiosos estavam presentes. No velório, a esposa da vítima, um mulherão de cabelo grisalho e óculos escuros (conheço de algum lugar), ficou o tempo todo ao lado do caixão com um cachorrinho no colo. O ritual contou com as bênçãos de um monge budista. O filho do designer, um rapaz bem bonito também, segurava um incensário tibetano. As cinzas, declarou a viúva, seriam depositadas numa urna de cerâmica etrusca. Tudo muito chique, como se estivessem numa filmagem ou no enterro de alguma princesa de Mônaco. A não ser por dois carecas bem estranhos postados ao lado do caixão como dois pontos de exclamação. Eram amigos da vítima, pelo que li. Tavinho Sabão e Jackson Calhau, tidos como lendas do surfe. Não sou nenhuma novata neste mundo de meu Deus, mas nunca tinha ouvido falar dessas duas lendas. Tudo bem, nunca fui do surfe. A Tijuca, na minha juventude, parecia muito distante do mar, como se ficasse em Minas Gerais.

1º DE MARÇO

Ontem eu estava estiradona na sala dos investigadores, quando escutei uma gritaria lá embaixo. A que ponto as coisas chegaram. Esta cidade está um caos. Uma dona de casa tinha acabado de sair do Makro aqui do lado, e foi abordada por um rapaz pedindo dinheiro. Ela disse que não tinha, pois gastara tudo nas compras. O meliante então a esfaqueou duas vezes no pescoço. A filha dela de sete anos, que estava ao lado da mãe, presenciou tudo. O vagabundo saiu correndo e a mulher foi levada por uma de nossas viaturas até o Lourenço Jorge, mas não resistiu. É o fim da picada. Um crime bárbaro desses na frente da Delegacia de Homicídios da Capital. Mas esse esfaqueador não sumiu, não. Localizamos o desgraçado em menos de uma hora, mocozado num manguezal na lagoa de Marapendi.

2 DE MARÇO

Segui um dos pontos de exclamação carecas. Montei uma campana para o tal Tavinho Sabão. No terceiro dia, dei com a lenda do surfe num fim de tarde praticando arremesso de facas na companhia de uma adolescente na praia do Pepê.

Negócio esquisito.

Depois disso fui falar com o Tavinho num dos restaurantes de comida peruana da rede Lobitos, que lhe pertence, mas o homem ficou na encolha. Elogiou o falecido e justificou a prática de arremesso de facas como "higiene mental", hábito adquirido desde que abandonou o surfe.

Depois me ofereceu ceviche e cerveja, que recusei.

Já temos a faca e uma menina de quinze, dezesseis anos com alguma ligação com o amigo careca da vítima (que, coincidentemente, também estava careca quando foi assassinada).

Faltam motivos, motivações, oportunidades e transtornos da alma.

3 DE MARÇO

Uma coisa precisa ficar clara: ninguém sabe que estou nessa função. Não há nada que justifique a reabertura do caso, nem faria sentido eu importunar o Galindo nas férias para discorrer sobre uma menina que entrou no carro do designer na praia ou sobre dois lendários e desconhecidos ex-surfistas de cabeça raspada que compareceram à cremação. Estou excitadíssima com essa investigação paralela.

5 DE MARÇO

Domingo de sol, a Macumba estava lotada.

Quando me viu, achei que o Adenílson ficou meio assustado. A barraca estava bombando.

Pedi um coco e mostrei para ele o meu celular com a foto que tirei da atiradora de facas amiga do Tavinho Sabão. Perguntei se era a menina que ele viu no carro do designer assassinado.

Adenílson apertou os olhos e, com sua habitual dificuldade de enxergar, disse que não era.

Pedi pra ele olhar direito, expliquei que tinha tirado a foto de longe, quando já estava escurecendo, e ele perguntou por que eu não fiz uma selfie com ela.

Cheio de graça, o Adenílson.

Então ele falou que, ao contrário da menina da foto, que é loura e de cabelo comprido, a do carro era morena e de cabelo curto. Mostrei a foto do Tavinho Sabão, ele disse que nunca viu o sujeito por ali.

7 DE MARÇO

O Galindo voltou das férias. Depois de me cumprimentar, disse que o Amaury entregou que eu tinha uma novidade sobre o caso do designer surfista.

Desconversei e fiquei na minha. Nem mencionei o Adenílson, pro Galindo não começar a ter ideias. Esse adora um holofote. Mas que delegado não gosta? Eu.

Se já é um sacrifício me encarar no espelho, imagine no *Jornal Nacional*. Definitivamente, não tenho mais idade.

8 DE MARÇO

Uma chacina numa igreja evangélica em Deodoro ocupou meu dia. Cinco pessoas metralhadas quando saíam do culto. Marido, mulher, uma filha, o namorado e a mãe do namorado. Negócio de virar o estômago. O homem era vereador.

11 DE MARÇO

Passei estes últimos dias em Deodoro. Ninguém merece. O Galindo achou que era vingança política, mas estava errado. Vingança de mulher. Quem chacinou a família do vereador evangélico foi uma amante inconformada. Ela já vinha ameaçando o vereador fazia algum tempo, queria que ele se separasse da esposa. O vereador não levou a sério quando a amante disse que tinha comprado uma HK21 na favela do Triângulo.

13 DE MARÇO

Consegui tirar uma licença médica rápida, alegando uma gripe forte.

No sábado segui a atiradora de facas, que os amigos chamam

de Lelê. À tarde ela se encontrou com uma amiga morena de cabelo curto no calçadão da praia, no Leblon. Elas sentaram num banco e ficaram quietas, olhando o mar.

Muito poético. Tirei fotos das duas.

No domingo fui até a Macumba, e o Adenílson reconheceu a amiga morena da Lelê como a menina que frequentava a Land Rover do designer.

14 DE MARÇO

É sintomático que pouco antes do final da primeira parte do relato, só depois que queimam seus livros e somem com sua biblioteca, creditando o feito a um demônio, é que *Dom Quixote* decide contratar um escudeiro que o proteja e lhe faça companhia.

15 DE MARÇO

Raro ver *uma* legista.

É o tipo do trabalho que atrai basicamente homens. Depois ainda dizem que mulheres é que são difíceis de entender.

Logo que me recebeu no Carlos Éboli, perguntei ao Bottura por que quase não existem mulheres legistas.

Pelo mesmo motivo que não existem muitas mulheres proctologistas ou urologistas, ele respondeu. "Bom gosto." Ele falou assim.

Não sei se concordo com a opinião do Bottura, mas, de qualquer forma, a conversa era só uma introdução para o assunto principal. Ele foi enfático ao falar do modus operandi dos esfaqueadores que assolam a cidade: não há modus operandi nenhum. Essa galera simplesmente mete a faca e depois vê no que deu. Perguntei se, no caso de o agressor usar um punhal de arremesso, as marcas das incisões seriam diferentes. Bottura respondeu que é difícil determinar que tipo de faca é usado nesses golpes. Punhais de arremesso são pontiagudos, mas algumas facas comuns também são. Quando a agressão é feita com uma faca serrada, às vezes é possível detectar sinais sutis nas bordas da incisão, pode haver ranhuras ali, dependendo de como o golpe foi desferido. Mas em geral não se consegue definir o tipo de faca usado nas agressões.

Perguntei depois sobre a perícia do homicídio do Lourenço Barclay. O Bottura abriu um arquivo no computador e me mostrou o laudo, com fotos e descrições minuciosas do ferimento que matou o designer.

Indicou detalhes na incisão no pescoço e disse que não se podia afirmar, pelo exame, se o agressor tinha usado um punhal de arremesso ou uma faca de cozinha. E ele duvida que tenha sido uma faca serrada, pois foi um golpe muito preciso e agudo.

16 DE MARÇO

Passei no edifício De Kooning, no Leblon, onde o designer morava. Conversei rapidamente com o porteiro Raimundo, que encontrou o corpo. Perguntei algumas coisas, mas o que ele me contou era o que já tinha revelado ao Galindo. Ele estava na portaria na manhã de 16 de dezembro, ouvindo rádio, e não reparou em nada de anormal enquanto a Land Rover estava parada na calçada. Só depois de algum tempo estranhou e foi ver o que tinha acontecido.

17 DE MARÇO

Pipoqueiros de porta de escola, além de eventualmente traficar drogas e aliciar menores, costumam fazer uma ótima pipoca doce. No caso da escola Grã-Bretanha, arrisco a dizer que dona Neusa, a pipoqueira, não só é um exemplo de retidão, como também faz a melhor pipoca doce de Botafogo. Além de ser uma excelente informante.

O nome da moreninha amiga da Lelê que, segundo Adenílson, costumava frequentar a Land Rover de Lô Barclay, é Juliana Belletti, Ju para os íntimos. E o detalhe: ela já foi namorada do José Thiago, filho do Lô.

18 DE MARÇO

Combinei um chope com o Amaury no fim da tarde. Não consigo ver o Amaury como homem.

19 DE MARÇO

Encontrei meu Sancho Pança!

O Amaury me deve uns favores e topou ser meu escudeiro nos embates extraoficiais contra moinhos de vento.

Pedi pra ele ficar de olho no Tavinho Sabão, e de cara ele descobriu que a esposa do ex-surfista, Rubi, costuma receber visitas furtivas da viúva de Lô Barclay, a coroa gata que agora me lembro de onde eu conheço: nos anos 90 ela apresentava um programa na TV.

Que babado.

Quem sabe a viúva alegre não me receita uma dieta?

Pra ela está funcionando muito bem.

E aquele cabelão grisalho? Que onda. Se não pinto o meu, viro uma anciã daquelas que abandonaram Shangri-La e envelheceram duzentos anos de repente.

20 DE MARÇO

Foi um domingo atípico.

Viajei para uma pousada em Mangaratiba. O Amaury foi para um sítio em Petrópolis. Eu fui atrás de Juliana Belletti e de sua mãe, e o Amaury seguiu Annabel, José Thiago e a cachorrinha fashion deles.

A grande revelação do fim de semana foi descobrir que Ju e a mãe, Ana Cecília, também praticam arremesso de punhais.

Quase caí pra trás.

O que é isso? Uma tendência?

No meu tempo era bambolê.

21 DE MARÇO

O domingão do Amaury foi menos surpreendente que o meu. A grande conclusão dele foi que a horta do sítio de Annabel Barclay daria para alimentar o esquadrão do Bope. Descobriu também que a urna de cerâmica etrusca com os restos mortais de Lô Barclay tinha sido levada para o sítio.

Fora isso, nada digno de nota.

Marcamos um chope no fim da tarde de hoje, para definirmos as metas da semana. Estou disposta a tentar um diálogo com o outro careca, o tal de Jackson Calhau. Quando expus essa minha intenção ao Amaury, ele questionou por que estou tão intrigada com esses surfistas.

Justifiquei minha desconfiança dizendo que eu não conhecia surfistas carecas, e ele me alertou que Calhau, além de careca, é louco.

22 DE MARÇO

O Amaury também não consegue me ver como mulher. Estamos quites.

23 DE MARÇO

A clínica Sol da Manhã fica em Jacarepaguá, numa ruazinha sem saída. É especializada em tratamentos para viciados em drogas. Conversei com a dra. Sílvia Meireles, a médica responsável, e ela me aconselhou a não forçar a barra.

Jackson Calhau estava sentado num banco sob um flamboyant. Seu cabelo já tinha crescido um pouco desde que eu o vira nas fotos da cerimônia de cremação de Lourenço Barclay.

Me aproximei, disse que era cana, mas que não estava ali numa investigação oficial. Expliquei que de fato tudo indicava que Lô Barclay tinha sido vítima de uma tentativa de assalto, mas que eu estava, informalmente, tentando entender melhor a história toda.

Calhau contou que Tavinho Sabão ficou abalado com o fato de o Lô ter raspado a cabeça, abandonado o surfe, ter começado a comer carne vermelha e a fumar.

E por estar se relacionando com uma menor de idade.

Opa!

Perguntei se o nome dessa menor era Juliana Belletti, mas ele disse que não sabia. Apenas tinha ouvido dizer que ela era muito peluda na xoxota. Perguntei por que aquilo parecia ter tanta importância para eles.

"Ela ser peluda?"

"Ela ser menor de idade."

Jackson me contou que tudo começou na noite em que Tavinho sonhou com Pepê, o surfista que morreu heroicamente num campeonato de voo livre no Japão e depois virou nome de uma avenida na Barra. Pepê apareceu careca no sonho de Tavinho, segurando um besouro. No momento em que Tavinho descobriu que Lô também estava careca, achou que a coincidência significava que alguma força maior se comunicava com ele. Sabão estranhara a transformação de Lourenço Barclay. O designer sempre tinha sido um modelo de cara correto, bem-sucedido, bem casado, vegetariano e defensor de causas humanitárias. Essa conduta dava uma segurança para todos na turma, era um exemplo a ser seguido. Uma referência. E tinha aquele cabelão vistoso, preto e brilhante. E a barbinha que cultivava como um jardim japonês. No fundo Lô era um homem obcecado por si mesmo, pelo sucesso que fazia, um vaidoso travestido de equilibrado. Quando Sabão viu que Lô traía Annabel com uma garota de quinze anos e que tinha abandonado o surfe e a alimentação natural para comer carne e fumar cigarro, como qualquer humano sujeito a tentações, o mundo dele caiu. Encasquetou que o sonho com Pepê careca era uma revelação do além, como um apóstolo tendo visões com Jesus Cristo. Acreditou que a mudança de comportamento de Lô era uma revelação mística a ser seguida. Tavinho então também raspou o cabelo, largou o surfe e começou a fumar. Foi até a clínica e pediu que Calhau o acompanhasse na aventura insana em busca de redenção. Ele queria

176

fundar uma seita para ex-surfistas preocupados com o sentido da vida. Pepê seria a entidade espiritual, e Lô o guia terrestre. E eu que sempre pensei que surfistas eram mais preocupados com o sentido das ondas...

24 DE MARÇO

A seita absurda não prosperou. Lô Barclay rejeitou a ideia e praticamente mandou os dois tomarem no cu. O designer disse que Tavinho e Calhau estavam desrespeitando a memória de Pepê. Afirmou que aquilo que ele estava vivendo, e que chamava de decomposição libertadora, decadência ascendente, morte viva e destruição construtora, era uma opção individual, algo que fazia sentido só para ele e que não podia ser entendido como religião, filosofia ou coisa do gênero. Sabão não aceitou as críticas do amigo de que ele havia confundido um sonho com uma revelação divina. Depois que Lô o esculachou, Sabão conheceu essa garota menor de idade, a Lelê. No começo, a intenção dele era transar com ela, como o Lô fazia com a outra menina, a da xoxota peludinha. Mas, depois da esculhambada do Lô, Tavinho ficou deprimido e brochou com tudo, como se nada mais fizesse sentido, cigarro, surfe, sexo. Mas a garota tinha um método infalível contra a depressão: ensinou Sabão a arremessar facas em fotos do Lô, para neutralizar o baixo-astral.

Cada uma que me aparece...

Como se as coisas já não estivessem suficientemente confusas, uma noite antes de Lô ser assassinado, quando Sabão chegou em casa, Rubi, mulher dele, confessou que tinha transado com Lô e Annabel no dia anterior, num *ménage* amigo.

Babado forte.

Rubi tentou minimizar o acontecido, disse que tinha sido algo sem importância para ela e que, na foda, Annabel e Lô tinham redescoberto a paixão de um pelo outro, o que, aliás, tinha sido uma coisa linda de ver.

Eu imagino.

Mas o fato é que aquilo pirou de vez o cabeção de Tavinho. Além de tudo, ele não se conformava que Rubi não estivesse mais usando calcinha.

Acho que essa galera toda bem que poderia estar hospedada naquela clínica de malucos.

Depois de relatar essa história, Calhau ficou me olhando fixamente por alguns segundos. Senti um arrepio. Tavinho Sabão tinha todos os motivos do mundo para querer matar o Lô.

Mas, segundo Calhau, Sabão tem um álibi que pode ser confirmado por Rubi, por Rabbit, o cachorro do casal, e pelo próprio Calhau. No momento em que Lô Barclay era assassinado no Leblon, Sabão e Jackson Calhau estavam no quintal da casa de Sabão, na Barra da Tijuca. Ainda que um álibi confirmado por um usuário de drogas (e por um cachorro!) possa ter a credibilidade contestada, álibi é álibi: Tavinho não tinha conseguido dormir depois da discussão com Rubi. Calhau estava passando a noite na casa deles, no quarto de hóspedes. Pouco antes do nascer do dia, Sabão convidou o amigo para fumar um baseado. Foram até o quintal e ficaram um tempão ali, olhando o sol raiar e lembrando do campeonato nacional de surfe em Cabo Frio, em 1979, quando Jackson Calhau se tornou um mito do surfe brasileiro.

"No fundo, o que estava atormentando o Tavinho era a nostalgia", disse Calhau, encerrando nossa conversa.

Ficamos um tempo em silêncio. Acho que naquele momento a nostalgia também começou a me atormentar.

25 DE MARÇO

Eu tinha acabado de pegar um saco de pipoca doce com a dona Neusa quando a Lelê saiu da escola. Despediu-se de duas colegas e foi caminhando pela rua da Matriz em direção à Voluntários da Pátria. Fui atrás. Ela falava no celular. Quando chegou à Voluntários, desligou o celular e eu me aproximei dela: "Lelê?".

Ofereci pipoca, ela fez que não.

Joguei o saco com o restinho da pipoca numa lixeira. Depois mostrei a insígnia da Civil e perguntei se podíamos conversar um pouco sobre a Ju.

Vi seu sangue correr para o pé.

Peguei pesado, eu sei. Mas eu tinha de arriscar.

Nos sentamos num café ali do lado.

Naquele momento eu soube que havia passado do limite e que começava a me mover pelo pântano. Eu não tinha nenhum direito de abordar uma menor com conversas constrangedoras sobre crimes. Aliás, isso por si só já caracterizava um crime.

"A Ju não matou o Lô", ela disse.

"E ela teria algum motivo pra matar?", perguntei.

Então a garota começou a falar sobre um terrível mal-entendido.

Acabou de acontecer uma coisa estranha. Estou nervosa. São nove da noite, estou em casa. Há dois minutos, enquanto eu escrevia sobre os acontecimentos do dia, meu celular tocou. Era o Galindo, muito abalado, dizendo que o Amaury sofreu um acidente grave no Humaitá. A ligação caiu, tentei ligar de volta, mas só dá caixa. O Amaury? Acidente? Como assim?

29 DE MARÇO

O enterro do Amaury foi a coisa mais triste que já vi.

Nem sei por que fui até o Caju.

Eu não devia ter ido, mas se eu não fosse não me perdoariam.

Nem eu.

Mesmo assim eu não vou me perdoar.

Nunca.

A grande verdade é que a culpada pela morte do Amaury sou eu.

Sentir os olhares da Lisiane, a viúva, e das duas filhas dele foi como ser perfurada por um milhão de balas de AK-47.

O Galindo também não me perdoa.

Por que eu fui inventar essa investigação paralela imbecil?

Não posso culpar o Adenílson.

Foi loucura da minha cabeça.

30 DE MARÇO

Na sexta-feira passada, na hora do almoço, Ana Cecília Belletti estava em seu quarto, sozinha no apartamento em que vive com a filha, no Humaitá, quando ouviu uma voz masculina no corredor. Ela tem o hábito de deixar a porta do apartamento destrancada, já que Juliana costuma esquecer de levar a chave quando sai, então se assustou ao escutar uma voz de homem dentro de casa. Ana Cecília pegou rapidamente um dos punhais de arremesso que guardava no armário e abriu a porta para ver o que estava acontecendo. Quando viu a muralha do Amaury caminhando em sua direção com o braço estendido, não hesitou: arremessou o punhal no peito dele, causando a morte instantânea do investigador.

Presa, ela alega legítima defesa. Não fazia ideia de que aquele homem era um policial.

"Se era um investigador da delegacia de homicídios, por que não tocou a campainha e se anunciou, me mostrou um mandado, sei lá…?", ela questionou, com toda a razão. Achou que fosse um ladrão. Ou, pior, um estuprador. Como o Amaury tinha invadido a casa e caminhava na direção dela com o braço estendido, Ana Cecília pensou que seria estrangulada.

31 DE MARÇO

Vou responder a um processo disciplinar.
Minha exoneração é questão de tempo.

1º DE ABRIL

O Galindo não se conforma de eu ter decidido conduzir

uma investigação por conta própria. Tive que revelar as conexões entre a morte do Amaury e o assassinato do designer: minha desconfiança a partir do depoimento do Adenílson, os surfistas carecas, as meninas arremessadoras de facas, o relacionamento de Lô Barclay com a adolescente ex-namorada de seu filho e o sinistro mal-entendido que perturbou Juliana Belletti e precipitou estranhos acontecimentos.

Dois dias antes do assassinato do designer, Lelê tinha se comprometido com Juliana a procurar por ele nas imediações do edifício De Kooning, no Leblon, para saber se já tinha voltado de uma viagem aos Estados Unidos. Enquanto dava um tempo na praia, Lelê começou a flertar com um cinquentão de cabeça raspada, óculos escuros e que fumava. Combinaram de se encontrar no dia seguinte. Naquela mesma noite, Juliana e Lelê se falaram ao telefone. Lelê reportou à amiga que não conseguira encontrar Lô, mas Juliana disse que o designer já a tinha contatado e que eles se encontrariam na manhã seguinte na praia da Macumba. Lelê, por sua vez, comunicou à amiga que conhecera um coroa de cabeça raspada, fumante, e que ela também o veria no dia seguinte. Quando Juliana encontrou Lourenço Barclay, quase morreu de susto ao vê-lo careca e saber que ele tinha começado a fumar. Naquela ocasião, o designer terminou o relacionamento com a adolescente. Juliana entendeu que Lô era o homem com quem Lelê flertara no dia anterior, sem saber de quem se tratava. Aquilo a deixou muito perturbada. Desorientada, foi até a praia deserta em que costumava manter relações com Lô, na restinga de Marambaia. Como ela previra, a Land Rover do designer apareceu na praia no fim da tarde, e Lourenço Barclay de fato manteve relações sexuais com alguém dentro do carro (muito provavelmente com sua própria esposa, com quem estava se reconciliando depois de tê-la acompanhado num *ménage à trois* com Rubi, esposa de Sabão, no dia anterior). Mas Juliana deduziu que era com Lelê que ele tinha se relacionado no veículo. Só dias mais tarde, depois do assassinato do designer, é que as duas esclareceram o mal-entendido. O careca com quem Lelê havia flertado era Tavinho Sabão. Juliana, porém, antes de saber disso, tinha três punhais em casa, um motivo na cabeça e vários transtornos na alma.

Contei tudo ao Galindo.

Ou quase tudo.

Não por acaso, hoje é 1º de abril.

Expliquei que, no dia em que foi assassinado, o Amaury tinha falado comigo de manhã e estava seguindo uma pista no largo dos Leões.

Não explicitei que pista era essa.

Como o Amaury foi parar no apartamento da Ana Cecília Belletti e o que ele estava fazendo lá dentro é algo que eu ainda não sei. Mas vou descobrir.

2 DE ABRIL

Na delegacia, Galindo perguntou para Ana Cecília se ela tinha conhecimento do relacionamento da filha com o designer.

Ela reagiu indignada: "Relacionamento? Você chama de *relacionamento* a violência sistemática a que a minha filha foi submetida com enojante e ardilosa sordidez por aquele sátiro imoral?".

Ana Cecília confessou que só soube do fato ao chegar em casa na madrugada do dia 16 de dezembro. Juliana dormia no sofá da sala, e a mãe, que já estava intrigada com as manchas roxas que havia descoberto nas axilas da filha dias antes, aproveitou para ir revistar o quarto da adolescente e lá descobriu, sob a cama, um diário embrulhado num sudário com um pênis enorme bordado, em que se destacavam as iniciais LB.

Lendo o diário, Ana Cecília conheceu os detalhes sórdidos do envolvimento de Juliana Belletti com Lourenço Barclay. Galindo arrolou o diário e o sudário nos autos. Essas adolescentes de hoje em dia são muito precoces. Aos quinze, eu nunca tinha visto um pênis em carne e osso. Eu sei que pênis não tem osso. Foi apenas uma liberdade poética.

3 DE ABRIL

Logo hoje que pintei as unhas de preto são as últimas palavras que Juliana Belletti registrou em seu diário.

Galindo conseguiu um mandado e conduziu a adolescente até a delegacia para uma conversa.

Na Homicídios, Juliana revelou que, depois de escrever a frase no diário, se encaminhou até o quarto da mãe em busca do estojo de madrepérola.

Logo hoje que pintei as unhas de preto não esclarece qual era a intenção da menina depois de pegar na gaveta do armário da mãe o estojo que encerrava os três punhais de arremesso: cortar os pulsos, desgostosa por desconfiar que Lô e Lelê iniciavam um caso?

Apunhalar Lô como vingança à sua suposta traição?

Matar a amiga Lelê por acreditar que ela tinha lhe roubado o amante?

Ou assassinar Lô e Lelê — juntos ou separadamente —, inconsolável por se acreditar traída pelo amante e pela melhor amiga?

Matar-se-ia em seguida?

Ou pegaria o estojo por outro motivo qualquer?

Arremessaria prosaicamente os punhais contra a porta do armário enquanto divagava sobre as diferentes acepções do substantivo *fim*?

Ao entrar no quarto, Juliana confirmou que sua mãe não estava ali. Quando abriu o estojo de madrepérola, só encontrou dois punhais lá. Um deles tinha sido retirado do estojo.

4 DE ABRIL

No momento em que Galindo e alguns jornais e sites de notícias já começam a desconfiar de que Ana Cecília Belletti possa ter assassinado Lô Barclay para vingar a filha adolescente abusada, a chegada de Maria Emília Hoffmann à delegacia, na sexta-feira de manhã, impõe uma reviravolta ao caso.

Maria Emília é uma psicanalista que vive em Curitiba, ativista de causas feministas e defensora dos direitos da mulher.

Ela é amiga de Ana Cecília há anos.

Logo que se apresentou, ela disse ao Galindo: "Nem pense em imputar a culpa desse crime à minha amiga! Na hora em que o Lô Barclay foi assassinado, ela estava comigo num hotel na Barra. Tenho como provar".

De fato, ficou comprovado que em 16 de dezembro, dia do assassinato de Lourenço Barclay, Maria Emília fez uma palestra num encontro da MMM, Marcha Mundial das Mulheres, movimento que combate a violência contra mulheres. Como o evento aconteceria no Riocentro, na Barra da Tijuca, Maria Emília estava hospedada num hotel do bairro. Na tarde do dia 15, Ana Cecília havia recepcionado a amiga no aeroporto Santos Dumont e dado uma carona a ela até o hotel. Sua intenção era voltar para casa, mas, depois de jantarem juntas e beberem vinho, Maria Emília convenceu Ana Cecília a dar um tempo e passar a noite no hotel antes de voltar à zona sul.

6 DE ABRIL

Galindo apurou que Ana Cecília, abalada com a leitura do diário da filha e a descoberta de seu caso com o designer, decidiu tomar um calmante e se deitar. Deixou para conversar sobre o assunto com Juliana no dia seguinte, quando despertasse, mais calma. Quando acordou, Ana Cecília foi até a sala, mas não encontrou a filha. Voltou ao quarto e percebeu que a gaveta em que guardava o estojo de madrepérola estava entreaberta. Abriu o estojo e constatou que um dos punhais fora retirado dali.

7 DE ABRIL

Voltei à escola Grã-Bretanha.

Dona Neusa não estava lá, mas eu não tinha ido até ali atrás de pipoca doce. Quando Juliana saiu pelo portão e eu me aproximei, ela logo viu que eu era cana e disse que já tinha falado tudo o que sabia para o delegado.

"Eu também escrevo um diário", eu disse.

Ela hesitou um pouco.

"Nós sabemos que diários têm nome, como pessoas", argumentei. "Mesmo que seja um nome secreto."

Diaristas, como maçons, sabem se reconhecer. Juliana topou que conversássemos no apart hotel em Botafogo em que está morando temporariamente com Maria Emília Hoffmann desde que a mãe foi presa. Depois da morte de Amaury, elas não conseguiram ficar no apartamento do Humaitá, como se ele estivesse amaldiçoado.

Juliana e eu nos sentamos num sofá na sala do apart hotel. Maria Emília fingiu que estava concentrada lavando pratos na cozinha integrada, mas na verdade ficou escutando nossa conversa.

186

A garota contou que quando acordou na sala, na madrugada do dia 16 de dezembro, estava desnorteada. Tinha sonhado com tiros e explosões, como se o mundo estivesse acabando. No sonho, sua mãe aparecia gritando: "Precisamos salvar os punhais!".

Ju levantou e foi até seu quarto. Pegou o diário e anotou *Logo hoje que pintei as unhas de preto.* "Sei lá por que eu escrevi isso", ela disse.

Vai entender a cabeça dessas meninas.

Perguntei o que a deixara tão desnorteada.

No dia anterior, quando viu Lô careca, com a cabeça raspada, Juliana disse que pressentiu uma tragédia. Achou que Lô estava terminando o relacionamento com ela para transar com Lelê, e disse a si mesma que não aceitaria isso.

Ju tinha seduzido Lô. Demorou meses até convencê-lo a fazer sexo com ela e sempre imaginou que estava no comando. Mas, naquela tarde, quando se arrastou pela areia da restinga, se aproximando da Land Rover bem devagar, como um caramujinho humilhado, teve certeza de que Lelê e Lô trepavam lá dentro.

Então Ju entendeu que estava apaixonada por Lô.

Juliana contou que tudo o que a mídia diz sobre Lô Barclay é mentira, que ele não era esse bundão que todo mundo pensa. Também não era o monstro que a mãe dela imagina.

Num devaneio, afirmou que o designer era um náufrago. Um homem perdido no deserto. Não à toa colecionava ampulhetas, clepsidras, bússolas, cartas cartográficas e rosas dos ventos, pois necessitava desesperadamente de orientação, e nunca encontrou um norte.

"Ele encontrou foi as suas axilas", sentenciou Maria Emília.

Cortei o papo e perguntei a Juliana o que ela fez depois de abrir o estojo decidida a cortar os pulsos e notou que um dos punhais não estava lá.

Ela disse que estava pensando em se suicidar, mas que esse pensamento não era consistente. Quando viu que faltava um punhal no estojo, achou que o destino lhe mandava um recado para desistir do suicídio. Então simplesmente resolveu voltar para a sala e dormir. Estava muito perturbada. Horas depois, acordou. Sua mãe já tinha chegado e dormia. Ver a mãe dormindo a tranquilizou. Vestiu-se e foi dar uma volta com a sensação de que estava renascendo.

8 DE ABRIL

Quando saí do apart hotel, Maria Emília me acompanhou até o elevador e me perguntou se eu achava que a Ju tinha matado "aquele calhorda".

Respondi que não, mas que o fato de ela não ter um álibi era preocupante. Maria Emília disse que crianças não precisam de álibis.

Aconselhei-a a procurar um bom advogado.

Ela me garantiu que já haviam contratado um e me revelou, em tom confessional, que Ana Cecília, num primeiro momento, chegou a crer que a filha pudesse mesmo ter assassinado o designer. A própria Ana Cecília poderia tê-lo matado, claro. Seria compreensível que uma das duas tivesse cometido o crime. Mas nenhuma delas teria coragem para tanto, observou Maria Emília.

"A Ju é meio maluquinha, mas ela não matou o Lô" ela concluiu.

Eu ia responder que achava a mesma coisa, mas a Maria Emília me encarou de um jeito tão profundo, que não consegui dizer nada.

Há muito tempo ninguém me olhava assim.

10 DE ABRIL

Galindo mal cabe em si de tanta vaidade. Ontem, quando apareceu no *Fantástico* falando sobre o caso, achei até que ele tinha engordado. Mas não. Era seu ego inflando por baixo da pele. Por enquanto o delegado mantém a mãe presa preventivamente e a filha solta, sob vigilância.

Está desesperado, buscando alguma prova que incrimine Juliana Belletti pela morte do designer.

13 DE ABRIL

O escrivão Paulinho me contou que, quando Juliana visitou Ana Cecília na cela em que a mãe está, a menina disse: "Desculpe, mãe. Anne Frank nunca usou uma fronha na cabeça para matar o tempo no Anexo Secreto".

E então as duas se abraçaram.

A conversa sobre a Anne Frank, embora enigmática, expressa obviamente alguma desavença entre elas.

Na adolescência, eu também tinha uma relação meio complicada com a minha mãe. Eu entendia aquilo.

14 DE ABRIL

Passei a manhã no largo dos Leões. O que é o largo dos Leões, afinal de contas?

Uma praça? Uma conexão entre duas ruas?

Para um largo, me parece bem estreito.

Mas há bancos, árvores e um playground.

E até um pequinês!

Nossa vizinha na Tijuca tinha oito pequineses. Não sei como não matei todos.

15 DE ABRIL

Lô Barclay encontrou as respostas no deserto.

Respostas a que perguntas?

A morte, ele encontrou no Leblon.

A morte é uma pergunta ou é uma resposta?

Nossa, como estou metafísica hoje.

17 DE ABRIL

No sábado, voltei ao largo dos Leões.

Não esperei muito e o José Thiago apareceu com uma mochilinha nas costas. Ele estava na calçada em frente ao portão do edifício Leonor, esperando alguém entrar ou sair. Me aproximei e fui direto ao ponto: "O punhal está na mochila, certo? Você veio aqui guardar ele de volta no estojo".

Ele ficou me olhando, petrificado.

Tem horas em que é preciso ser objetiva.

Ele gaguejou um pouco, depois balbuciou alguma coisa em inglês, mas eu não deixei que concluísse a frase, até porque não entendo inglês.

"Eu sei de tudo", eu disse.

José Thiago me abraçou e começou a chorar.

1º DE JUNHO

Em abril, antes de ser afastada, redigi um último relatório e o enviei ao Galindo:

"Caro Galindo,
No dia 20 de março, uma segunda-feira, me reuni com o Amaury no fim da tarde para tomar um chope e definir os próximos passos da investigação. Acabávamos de voltar de um fim de semana em que eu havia seguido Ana Cecília e Juliana até Mangaratiba e ele ficara na cola de Annabel Barclay e José Thiago no sítio da família, em Petrópolis.

Naquele chope decidimos que eu teria uma conversa com Jackson Calhau e que ele seguiria o José Thiago, para ver se saía algum coelho daquele mato. Na sexta-feira o Amaury morreu, apunhalado por Ana Cecília no apartamento dela.

O coelho foi cruel.

Amaury tinha me ligado de manhã, dizendo que fazia meia hora que estava sentado num banco no largo dos Leões, de olho no José Thiago, sentado em outro banco. À noite, recebi a notícia de que meu Sancho Pança tinha morrido esfaqueado. Não foi difícil ligar as coisas. Como o Amaury tinha ido parar no apartamento da Ana Cecília Belletti? Só havia uma explicação plausível: porque ele estava seguindo o José Thiago.

O que levava a outra pergunta: o que José Thiago estava fazendo no apartamento da Ana Cecília? Essa me custou um pouco mais pra responder.

Desde o final do ano passado José Thiago foi visto algumas vezes nas imediações do edifício Leonor, um prédio de cinco andares no Humaitá. Dona Karen, uma moradora que sempre passeia pelo largo dos Leões com um pequinês histérico, me disse que lembra dele como um menino muito gentil que ela viu algumas vezes descer do elevador no quarto andar, justamente o andar do apartamento de Ana Cecília e Juliana. Concluí que José Thiago andava frequentando em segredo o apartamento da ex-namorada decerto para satisfazer alguma tara adolescente. Entrar ali não é difícil, o prédio não tem porteiro, e Ana Cecília e Juliana tinham o hábito de deixar a porta do apartamento destrancada quando saíam (duvido que ainda deixem depois de tudo o que aconteceu).

Numa dessas visitas, José Thiago encontrou, sob a cama da ex-namorada, um caderno enrolado num pano bordado com o pênis de LB.

Ao dar uma olhada no caderno — o diário de Juliana —, imagino como José Thiago se sentiu. Deve ter sido complicado descobrir que tinha sido traído pela namorada e pelo próprio pai. Determinado, o garoto foi até o quarto de Ana Cecília, que ele já bisbilhotara antes, e pegou um dos punhais do estojo de madrepérola.

192

Dois dias depois, pediu ao pai que lhe desse uma carona até a aula de jiu-jítsu. Era muito cedo e todos na casa ainda dormiam. José Thiago e Lô desceram pela escada até a garagem, saltando os degraus de dois em dois, disputando para ver quem chegava primeiro, como sempre faziam, e entraram na Land Rover. Logo que o carro saiu, ainda na calçada, José Thiago perguntou ao pai se havia algum segredo entre eles.

Não, disse Lô.

José Thiago tirou o punhal da mochila e esfaqueou o pai no pescoço.

Depois guardou o punhal, desceu do carro e foi a pé para o jiu-jítsu.

Em março, três meses depois da morte de Lourenço Barclay, ao saber pelo porteiro Raimundo que alguém (eu) da polícia passara pelo edifício De Kooning fazendo perguntas sobre o dia do crime, José Thiago decidiu levar o punhal de volta ao apartamento de Ana Cecília e Juliana. Além de querer se livrar da arma do crime, deve ter pensado: "Quem sabe a polícia não reabre o caso e a própria Juliana é acusada da morte de Lô Barclay?".

A vingança seria completa.

José Thiago pega com cuidado o punhal, que já está limpo e livre de impressões digitais, guarda-o na mochila e vai até o largo dos Leões. Como das outras vezes, dá um jeito de entrar no edifício Leonor e se encaminha ao apartamento 42. Lá dentro, já no corredor, percebe que cometeu um erro. Ana Cecília está no quarto. Enquanto recua, nota que alguém entra na sala. Um homem surge no corredor e José Thiago entende que foi seguido até ali. O homem diz: "Calma!".

Mas tudo acontece muito rápido. José Thiago se esconde no quarto de Juliana no momento em que Ana Cecília abre a porta de seu quarto e arremessa o punhal contra o peito de Amaury. Logo que o policial desaba no chão, Ana Cecília dá um grito e volta para o quarto, possivelmente temerosa de que o homem, mesmo ferido, ainda pudesse reagir. José Thiago aproveita para escapar, sem conseguir devolver o punhal ao estojo de madrepérola.

Quando tudo estava esclarecido e José Thiago já fora encaminhado a uma instituição para menores infratores, Annabel Barclay apareceu uma noite aqui em casa. Hesitei quando vi aquele mulherão pelo olho mágico. Ela carregava alguma coisa, achei que fosse a cachorrinha. Quando abri a porta, vi que era uma sacola. Imaginei que ela estivesse voltando das compras em algum shopping chique aqui da Barra. Eu não conseguia entender a razão daquela visita. Pedi que ela entrasse e ficasse à vontade. Ela foi gentil, mas seca. Agradeceu, mas disse que não, que não entraria, pois o que tinha a fazer era muito rápido. Perguntei como ela tinha conseguido meu endereço e ela respondeu que desvendar mistérios não era uma prerrogativa só de policiais. Então me entregou a sacola. Demorei alguns segundos para entender que Annabel estava me ofertando a urna etrusca com as cinzas de Lô Barclay. Perguntei por que ela estava fazendo aquilo, e ela disse que era uma forma de me agradecer por ter trazido a verdade à tona.

A que verdade ela se referia?

A traição? O assassinato?

Ou estava de sacanagem com a minha cara?

Não. Ela não se referia ao caso do Lô com a Juliana nem ao fato de o Zé Thiago ter matado o pai. Nem estava me sacaneando. Annabel Barclay falava da verdade que se revelou ao Lô. O entendimento que ele teve sobre o engodo da pureza e de toda a doutrinação mística. Sobre a serenidade estridente que ele experimentou no fim da vida. Lô pensava que um monge budista brotaria de dentro dele, mas tudo que havia ali era um homem simplesmente. Talvez um homem de Neandertal, mas ainda assim um homem.

Perguntei sobre José Thiago, e Annabel disse que ele estava bem, assistido pelos melhores advogados e psicoterapeutas.

"Ele vai sair dessa", ela concluiu.

Depois se despediu, me deixando ali na porta com as cinzas do designer na mão.

Não tem jeito, Galindo: a gente roda, roda e acaba sempre com um parricídio no colo.

Beijo grande, Rita de Cássia."

4 DE JUNHO

Estou afastada. Investigada. A caminho de ser exonerada. E, principalmente, muito apaixonada.

Vim dar um tempo no deserto.

Maria Emília está comigo. Estamos namorando.

Não é que Lourenço Barclay estava certo?

Há muito o que descobrir por aqui.

A respeito de mim mesma, claro. Fora isso, só crepúsculos, miragens, areia e árvores de Josué.

Lançamos as cinzas do Lô ao vento do Mojave.

Falando no designer, visitamos o Surf Museum de San Diego alguns dias atrás. Vimos os painéis de *blank* projetados por Lô Barclay para o saguão de entrada, que lembram ondas gigantes e ameaçadoras cujos topos se constituem de ogivas assimétricas, como pranchas destroçadas.

"Que horror", disse Maria Emília. "É a agonia do macho."

Não sei se concordo com ela. Achei os painéis muito impressionantes. Recomendo uma visita. Eles podem ser admirados de terça a domingo, das dez às dezesseis horas.

ESTA OBRA FOI COMPOSTA PELA SPRESS EM ELECTRA E IMPRESSA EM OFSETE
PELA GEOGRÁFICA SOBRE PAPEL PÓLEN SOFT DA SUZANO PAPEL E CELULOSE
PARA A EDITORA SCHWARCZ EM JULHO DE 2018

A marca FSC® é a garantia de que a madeira utilizada na fabricação do papel deste livro provém de florestas que foram gerenciadas de maneira ambientalmente correta, socialmente justa e economicamente viável, além de outras fontes de origem controlada.